LES VOISINS

CLAUDE MEUNIER
LOUIS SAIA

LES VOISINS

nouvelle version

LEMÉAC

Couverture : Claude Meunier, photographie de Monic Richard
Louis Saia, photographie de Yves Renaud

Leméac Éditeur remercie le ministère du Patrimoine canadien, le Conseil des arts du Canada, la Société de développement des entreprises culturelles du Québec (SODEC) et le Programme de crédit d'impôt pour l'édition de livres du Québec (Gestion SODEC) du soutien accordé à son programme de publication.

ISBN : 978-2-7609-0384-5

Imprimé au Canada

CRÉATION

La nouvelle version des *Voisins* a été créée le 4 avril 2001 par la Compagnie Jean-Duceppe, à Montréal, dans une mise en scène de Denis Bouchard, assisté de Jeanne Laperle

Décor : Pierre Labonté
Costumes : Suzanne Harel assistée
de Judy Jonker
Éclairages : Luc Prairie
Musique : Denis Larochelle
Accessoires : Normand Blais

DISTRIBUTION

BERNARD : Luc Guérin
GEORGES : Martin Drainville
FERNAND : Louis Champagne
LUCE : Sonia Vachon
JEANINE : Sylvie Moreau
SUZY : Sandra Dumaresq
LAURETTE : Diane Lavallée
JUNIOR : Louis-Martin Despa

La première version des *Voisins* avait été créée par la Compagnie Jean-Duceppe en décembre 1980, dans une mise en scène de Louis Saia, des décors de François Séguin, des éclairages de Michel Beaulieu et des costumes de Suzanne Harel. La distribution était la suivante : Bernard (Robert Rivard), Georges (Jean Besré), Fernand (Pierre Dufresne), Luce (Marthe Choquette), Jeanine (Hélène Loiselle), Suzy (Marquita Bois), Laurette (Monique Miller), Junior (Marc Messier)

PERSONNAGES

Bernard
Georges
Fernand
Luce
Jeanine
Suzy
Laurette
Junior

ACTE I

1

JOUR. PARTERRE DE BERNARD ET DE JEANINE

Bernard est dans son parterre. Il coupe sa haie avec un sécateur électrique. Il essaie de la couper droit mais semble avoir de la difficulté.

BERNARD, *se choquant.* Voyons torrieu ! *(Il donne une claque à sa haie.)* As-tu fini d'être croche, toi ? *(Il repart son sécateur mais celui-ci ne semble pas vouloir fonctionner. Il le secoue énergiquement.)* Hey toi, s'il vous plaît, là, niaise-moi pas. J'en ai jeté ben d'autres avant toi. *(Il tente de le faire démarrer sans succès.)* Hey ! As-tu compris, innocent ? *(Le sécateur fonctionne à nouveau. Bernard s'accroupit pour tailler sa haie. Parlant à sa haie.)* Bouge pas, là, bouge pas.

Georges arrive, un sac à la main.

GEORGES. Salut, le grand !...

Bernard, sans arrêter son sécateur, salue Georges.

BERNARD. Ah ben quen ! qu'est-ce tu fais ici ?

GEORGES. Aucune idée. *(Temps.)* Pis toi ? Es-tu après couper ta haie, coudonc ?

Bernard arrête son sécateur.

BERNARD. Pas vraiment, non. J'a trime un peu. A commençait à avoir l'air pouilleux. J'm'arrange pour qu'a l'aille l'air du monde c't'été, t'sais.

GEORGES. C'est de l'ouvrage pareil, hein ?

BERNARD. Es-tu fou toi ? J'fais ça pour me détendre... L'herbe, ça m'relaxe.

GEORGES. Ben tant mieux !... En tout cas, a fait sa haie.

BERNARD. Mets-en... est rendue quasiment obèse... J'espère que ça dérange pas ta clôture ?

GEORGES. Es-tu fou toi ? Au contraire... Ça y fait de l'ombre. *(Petit temps, il chantonne l'air* « Ah ! Les fraises et les framboises ».*)* La la la... Pis ? La petite famille va bien ?

BERNARD. J'te remercie, mon vieux... La tienne ?

GEORGES. Définitivement. *(Temps.)* Eh monsieur !

BERNARD. Absolument... *(Temps.)* Me semble que t'as maigri, toi.

GEORGES. Es-tu fou ? J'ai engraissé de trois livres.

BERNARD. Me semblait aussi.

Silence. Bruit du tue-mouches « électro-violet » de Bernard... Bruit semblable à un court-circuit, qui fait sursauter Georges.

GEORGES. Mon doux Jésus ! Quessé ça ? As-tu un court-circuit dans ta haie ?

BERNARD. Non, c'est pas ça. *(Il sort le Bug Reducer de sa haie.)* C'est mon Bug Reducer.

GEORGES. Bug quoi ?

BERNARD. Bug Reducer : le « réduiseur » d'insectes.

Le Bud Reducer tue un autre insecte. Le néon du Bug Reducer change de couleur. Bruit du Bug Reducer...

GEORGES. Ayoye donc ! Sais-tu que tu peux quasiment réduire un ours avec ça ?

BERNARD. Mets-en... Je voudrais pas tomber la face dessus, moi, en tout cas.

GEORGES. J'comprends ! *(Blagueur.)* C'est pire qu'une esthéticienne, ça là...

BERNARD. Avec ça, m'as te dire : y n'a pus de points noirs !

GEORGES. Pas juste de points noirs... Y a pus de face pantoute même. *(Il rit de son rire nasal.)*

Un autre insecte se brûle sur le Bug Reducer.

BERNARD. Quen, mon écœurant... Passe à Go pis collecte 200 watts... *(Il rit et ramasse un maringouin brûlé.)* Quen regarde : brûlé ben raide... méconnaissable.

GEORGES. Ayoye !... Sais-tu que... une couple de millions de même, ça vaut quasiment un steak... *(Il rit de sa blague de façon un peu niaise.)* Excusez... *(Georges s'approche du Bug Reducer et renifle.)* Ça sent, hein ?

BERNARD. Oui oui... Ça pue pas, par contre.

GEORGES, s*entant à nouveau.* Non non... Ça sent plutôt bon... Oui oui. *(Georges s'approche un peu trop, il se brûle le « toupette ». Gros bruit du Bug Reducer. Reculant, apeuré, et se frottant la tête.)* Ah ! ta ta ta...

BERNARD, *se fâchant presque.* Hey, 'tention, toi là... tu vas brûler mon élément... Hé torrieu !

GEORGES. Excuse-moi, mon vieux... excuse-moi. *(Il se replace le toupette.)* Hé monsieur... Rough sur la moumoutte, ça !... Ben coudonc, j'viens de sauver 10 piastres de barbier moi là...

Il rit.

BERNARD. Ben oui... (*Bernard regarde sa haie comme s'il avait le goût de continuer à la couper. Il remarque quelque chose d'anormal dans sa haie. Il plonge la main dedans et en ressort un frisbee. Il le montre à Georges. Se pompant graduellement.*) Eh soda ! As-tu vu ça ? Ça vaut la peine de s'forcer dans la vie, hein ! Tu travailles comme un bulldozer dans ta haie, pis y a un maususse de « cocombre » de mariouana qui vient « toute » détruire en deux secondes... Non mais, ça prend-tu des malades... venir se lancer au frisbee dans une haie !

GEORGES. Des malades ? Des drogués, tu veux dire !

BERNARD. C'te monde-là, ça mériterait d'être pendu par les intestins.

GEORGES. T'es trop bon, Bernard... M'as te l'dire, moi, t'es trop bon !

Bernard prend son sécateur et coupe des têtes d'arbustes pour se défouler.

BERNARD. Non mais, si y a pas moyen de couper sa haie sans avoir du fun, j'me demande ben ousse qu'y est le plaisir dans' vie.

GEORGES. Je l'sais ben pas... (*Les deux amis se sourient. Bernard recommence négligemment à couper sa haie. Petit silence.*) À propos, j't'ai pas dit ça, pour mon char ?

BERNARD. Ché pas ?

GEORGES. Ben oui, t'sais, mon toit en vinyle...

BERNARD. Ton top, tu veux dire ?

GEORGES. Oui oui, mon top de toit, là !...

BERNARD, *insistant pour meubler le temps.* Le dessus, là, tu veux dire ?

GEORGES. Oui oui, le dessus du top, le toit du d'sus là.

BERNARD. C'est ça j'te dis, le top.

GEORGES. Oui oui, le toit sur le top là...

BERNARD, *de mauvaise foi.* Comment ça le toit sur le top ? T'as un toit sur ton top ?

GEORGES. Non, non, sur mon char... Le top de mon char, O.K., là ?

BERNARD. Ah O.K. *(Il répète pour lui-même.)* Le top de ton char... oui oui.

GEORGES. Bon ben t'sais comment j'avais de la misère à l'shiner, mon toit ?

Bernard recommence à inspecter sa haie.

BERNARD, *que ça n'a pas l'air d'intéresser.* Non, j'savais pas.

GEORGES, *un peu débiné.* En tout cas... Ben c'est fini ce temps-là. Regarde ça.

Il sort une cannette de son sac et la montre à Bernard, qui ne regarde pas.

BERNARD. Ah wow ! Quessé ça ?

GEORGES. C'est exprès pour mon toit. *(Il montre l'étiquette.)* « The top's top ». Autrement dit : Le top du top !

BERNARD, *se retournant vers Georges.* Tu recommences pas encore là ?

GEORGES. Non non... Pis ce que j'trouve de merveilleux avec ce produit-là, c'est que c'est NOUVEAU.

BERNARD, *ne le regardant même pas, fixant sa haie.* T'es pas sérieux ?

GEORGES. Je te le jure, mon vieux... Le principe dans c'te can-là, c'est que ça se présente sous forme de shampoo.

BERNARD. Hey sais-tu que tu m'intéresses quasiment toi là.

Bernard prend le produit dans ses mains et le regarde.

GEORGES. Pis j't'ai rien dit encore, hein. En plus de laver, ça nourrit ton toit. L'idée en arrière, pour être simpliste là, c'est que c't'un peu de la vitamine de vinyle. J'sais pas si tu me saisis ?

Fernand, le voisin de Bernard, arrive derrière la haie avec un filet de piscine. Il est en costume de bain.

FERNAND. T'es encore dans ta haie, toi ? Si ça continue, tu vas ben déménager dedans.

BERNARD. N'empêche que si ça continue, c'est ça qu'y va falloir que j'fasse. *(Il montre le frisbee à Fernand.)* Quen : r'garde-moi ça ! As-tu déjà vu ça un affaire de même, toi ?

FERNAND. Ben certain ! C'est mon frisbee, ça...

BERNARD. Ah oui ?...

GEORGES, *en riant.* Oh boy ! J'espère vous avez des bons intestins.

FERNAND. Pardon ?

GEORGES. Non non... rien rien... *(Clin d'œil à Bernard. Il tend la main à Fernand.)* Permettez-moi : enchanté.

FERNAND. De rien.

Ils se serrent la main.

BERNARD. Ah oui, c'est vrai. Georges, Fernand. *(À Georges :)* Y viennent juste de déménager à côté. *(Il pointe la maison de Fernand.)* Ça fait quoi ? Deux mois ?

FERNAND. Un an et demi...

BERNARD. C'est ça...

GEORGES. Oui oui... On s'était déjà parlé mais pas officiellement, hein ?

FERNAND. Ah bon ! *(Petit temps.)* Euh... Chose, ma femme me disait ça t'à l'heure. Ç'a l'air qu'y fait beau c't'effrayant.

GEORGES, *en farce.* Aussi ben en profiter pendant que ça passe.

Georges rit avec entrain, les deux autres le suivent par politesse.

Petit temps.

BERNARD. Ouan, m'as dire comme c'te gars...

FERNAND. J'comprends donc... *(À Bernard :)* Pis les assurances, comment ça marche ? Ça roule-tu, les accidents ?

BERNARD. Ah ! numéro un... C'est tranquille un peu, mais j'me dis que ça va revenir.

FERNAND. Bah, ça donne rien de s'en faire...

GEORGES. Surtout quand ça va mal.

BERNARD. D'abord qu'on est heureux, c'est ça qui compte.

GEORGES. Énormément.

FERNAND. On a rien pour rien.

GEORGES. Surtout pas les fraises ; c'est rendu quasiment deux piastres le casseau. *(À Fernand :)* Vous vendiez pas des chars usagés, vous ?

FERNAND. Ah ! j'en vends encore.

GEORGES. Comme ça, ça marche bien. De toute façon, des chars usagés, y en aura toujours.

FERNAND. Tant qu'y n'aura des neufs, oui. Vous, que c'est que vous faites déjà ? Vous travaillez pour des dentiers ? C'est ça ?

GEORGES. C'est en plein ça, oui.

FERNAND. Comment vous vous appelez déjà ?

GEORGES. Denturologue.

FERNAND. Pis votre prénom, c'est quoi encore ?

GEORGES, *en blague.* Georges Denturologue !

FERNAND, *sérieux.* Georges Denturologue... Faudrait ben que j'envoie ma femme vous voir avec son dentier. A ben de la misère à manger du blé d'Inde en épi avec. Est obligée de le mâcher avec le dentier dins mains. *(Il fait le geste.)* Bernard doit ben avoir votre adresse ?

GEORGES. Moi-même je l'ai.

FERNAND. Ataboy ! Mais vous, là, étiez-vous en Europe au moment de Bernard ?

GEORGES. Non, nous autres, l'Europe, on attend avant d'y aller.

FERNAND. Bah, ça va être pas mal la même chose quand même. Ça change pas tellement, l'Europe.

GEORGES. Pas tellement, non. *(À Bernard :)* C'est vrai, j't'ai pas encore parlé de ton voyage en Europe, toi. Excuse-moi, mon vieux.

BERNARD. Ya pas de quoi.

FERNAND, *à Bernard.* Pis, mon Bernard, tu m'as pas dit ça... Qu'est-ce qu'y ont l'air les petites femmes, là-bas ?

BERNARD, *en farce.* Ah ! Y sont pas juste petites. Y en a des grandes avec.

FERNAND. Tu le regrettes pas d'être allé avec ta femme ?

BERNARD. Ah non ! elle a ben aimé ça.

FERNAND. Es-tu allé voir des strip-teases, au moins ?

BERNARD. Euh... pas à ma connaissance, non...

FERNAND. Eh ben !

BERNARD. Qu'est-ce que tu veux, t'as pas le temps de rien voir là-bas. Même le Louvre, on est pas allés, ç'a l'air que ça prend des mois à visiter.

FERNAND. Ben oui, mais un strip-tease ça dure pas trois mois.

BERNARD. J'peux pas te dire.

Petit temps.

GEORGES. En tout cas, faudrait ben que tu me montres ça, ton voyage, un bon jour.

BERNARD. Ben pourquoi tu viens pas faire un tour avec Laurette, à soir ? Ça vous engage à rien.

GEORGES. Faudrait que j'en parle à Laurette pour voir si a l'a le goût.

BERNARD. Laisse faire ça, on va vous attendre.

FERNAND. J'pense à ça : moi non plus, je l'ai pas vu votre voyage.

BERNARD, *ne voulant pas l'inviter.* C'tu vrai ?

FERNAND. Ben non.

BERNARD. Eh ben !...

FERNAND. Remarque, on a un *party* de vendeurs de chars de prévu, mais on pourrait toujours aller chez vous après...

BERNARD. Oui, ou pas venir... C'est comme tu veux.

Luce, la femme de Fernand, arrive.

LUCE, *en l'apercevant.* Fernand, t'es-tu là ?

FERNAND, *aux deux autres en blague.* Non, chus pas là...

Il rit. Georges la trouve bien drôle. Fernand continue pour l'amuser.

LUCE, *rendue à la hauteur de Fernand.* Fernand, j'te dérange pas, j'espère ?

FERNAND. Pas encore, non...

Georges rit.

LUCE, *en regardant les deux autres.* Y fait beau, bonjour.

GEORGES, *tendant la main.* Enchanté.

LUCE. Laissez faire ça, chus pas arrangée, rien.

Georges redescend sa main.

BERNARD. Ça va bien, Luce ?

LUCE. Je l'sais pas. J'ai faite tout un dégât en voulant nettoyer le poêle : j'viens d'renverser de l'Ajax dans ma sauce à spaghetti, j'te dis...

FERNAND. C'est ben toi, ça. C'est pas grave. T'auras juste à faire cuire les nouilles dans l'eau de Javel.

GEORGES, *en farce.* Ouan, vous mangez épicé vous autres.

Georges est le seul à rire de sa farce.

LUCE, *regardant Georges qui continue de rire.* Ouan ! A l'air bonne !... *(Elle se tourne vers Fernand.)* Bon ! Pitou, excuse-moi...

FERNAND. Qu'est-ce t'as faite encore ?

LUCE. C'est parce qu'y faudrait que j'aille faire la commande.

FERNAND. Excuse-toi pas pour ça, voyons, vas-y.

LUCE. Ben, y m'faudrait des bidous, pitou.

FERNAND. Qu'est-ce tu veux, des bidous ou des pitous ? *(Il fouille dans ses poches.)* Une chance que vous êtes là,

16

vous autres, parce que sinon on aurait pas besoin de travailler.

LUCE. Ouan, mais on est pas payées nous autres pour notre ouvrage de reine du foyer.

FERNAND. Voyons donc, tu m'payes-tu, toi, quand j'sors les poubelles ?

Georges rit fort.

LUCE, *vers Fernand.* Hey, le comique ! C'est toi qui vas se retrouver dins poubelles si t'arrêtes pas.

GEORGES, *amusé.* Oh boy !... Y se fait parler le baquet... Euh, le Fernand !

FERNAND, *sortant sa petite monnaie.* Quen : deux piastres, c'est-tu assez ?

GEORGES. C'est assez pour un casseau de fraises en tout cas...

Georges rit fort. Les deux autres hommes l'accompagnent un peu, en se demandant pourquoi il rit aux éclats.

LUCE. Y rient-tu de moi, eux autres là ?

FERNAND. Quen, r'garde-la. Pas moyen de parler de fraises sans qu'a se sente visée.

Georges rit de plus belle. Les deux autres hommes rient aussi. Fernand donne de l'argent à Luce.

LUCE, *pointant Georges.* Ben j'pense que j'vas y aller avant qu'y pète au frette, lui là...

FERNAND, *lui donnant de l'argent.* Fais donc ça.

LUCE, *saluant les deux autres.* Bon bien, c'est ça. *(Elle se veut polie.)* Enchantée de vous dire au revoir.

FERNAND, *à Luce qui s'éloigne.* Trompe-toi pas, là. Ramène-nous pas une paire de souliers pour souper.

GEORGES. Ou un casseau de fraises.

Georges rit fort. Bernard un peu.

FERNAND. Ah, les femmes !

GEORGES, *chantonnant seul.* Et les framboises... *(Il rit.)* N'empêche que j'sais pas qu'est-ce qu'on ferait si y étaient pas là.

FERNAND. On irait en voir d'autres.

Georges rit fort, Bernard à peine. Silence.

BERNARD. Où c'est qu'on était rendus là ?

GEORGES. Aucune idée.

Silence.

FERNAND. Bon ben, sur ce, j'vas aller rebondir dans ma piscine, moi là. On se reverra peut-être à soir.

BERNARD. Peut-être pas non plus...

FERNAND. Salut, Georges.

GEORGES. N'importe quand. Oh boy ! Fait longtemps que j'ai pas ri de même, moi là... *(Fernand s'en va.)* Sais-tu que ça te fait tout un voisin, c'gars-là.

BERNARD. Bah, c'est réciproque, tu comprends. J't'assez voisin moi-même.

Jeanine, la femme de Bernard, arrive avec deux sacs remplis de provisions.

JEANINE. Ah ben, de la grande visite ! T'es pas tout seul, j'espère ?

GEORGES. Non non, ch't'avec ton mari.

JEANINE. Excuse qu'est-ce j'ai l'air, j'étais au centre d'achats.

GEORGES. Fais-toi-z-en pas. J'ai jamais remarqué c'que t'avais l'air.

JEANINE. Tant mieux. Pis ? As-tu des nouvelles de Laurette ?

GEORGES. Laurette ?

JEANINE. Ta femme !

GEORGES. Ah ! Laurette ! Ah oui, oui ! Est toujours dans son train-train. A l'essaie de s'occuper. T'sais ce que c'est, la vie de femme.

JEANINE. À qui le dis-tu ! J'voulais y téléphoner la semaine dernière, j'ai faite dégeler mon frigidaire à place.

GEORGES. Mes félicitations.

BERNARD, *à Jeanine.* Tu vas pouvoir te reprendre. Y vont venir voir nos photos de diapositives européennes ce soir.

JEANINE, *un peu déçue.* Ah wow !... tu parles d'une surprise ! Êtes-vous sûrs de venir ?

GEORGES. Ben là... Ça dépend si vous êtes là.

BERNARD. Si vous venez, on va sûrement être là.

GEORGES. D'un coup on vient pas.

BERNARD. Venez donc, ça va être plus simple. De toute façon, qu'on soit là ou pas, faut qu'on reste ici.

GEORGES, *à Jeanine.* En tout cas, j'te dis qu'on a hâte de vous voir la fraise en Europe. Pis j'espère que votre Fernand va venir aussi. Y a le commerce agréable, hein ?

JEANINE, *regardant Bernard.* Fernand ?

BERNARD. Ben oui, j't'ai pas dit ça ?

JEANINE. Non.

BERNARD. Ben j'te l'dis là...

JEANINE. Sa femme va venir avec, j'gage. Tu l'sais que j'ai un froid avec sa femme.

BERNARD. T'as juste à pas y parler.

JEANINE. Après ce qu'a dit sur moi ! *(Vers Georges :)* A l'a dit que si j'portais pas de shorts en été, c'est parce que j'portais des varices. Je l'dis-tu à tout le monde, moi, qu'a porte des seins en silicone ?

GEORGES. Moi, c'est la première fois que j'te l'entends dire, en tout cas.

JEANINE. Pis dis-toi, c'est la dernière. Chus pas ce genre-là, moi. Pis le pire c'est que j'en ai pas de varices.

GEORGES. J'veux même pas le savoir, Jeanine. Mais, tu sais, y faut lui pardonner. Une femme, ça pense pas toujours à ce que ça dit.

JEANINE. C'est pas une raison pour qu'a parle à travers mon chapeau.

Suzy, la fille de Bernard et de Jeanine, surgit dans le parterre. Elle n'a qu'un grand T-shirt sur elle. Elle vient visiblement de se lever.

SUZY. M'man, où t'as fourré le lait ?

JEANINE. Je l'ai pas fourré, je l'ai serré.

SUZY. Où ça ?

JEANINE. Y en reste pus.

SUZY. Qu'est-cé tu racontes à matin, là ? T'es revirée sur le top encore...

JEANINE. Bernard, dis-lui de s'excuser. Pis toi, va te cacher. C'est pas une tenue pour une jeune fille.

Suzy est rendue à leur hauteur. Elle prend un carton de lait dans un des sacs.

SUZY. Ah, *come on*, commence pas à capoter.

JEANINE. T'apprendras, Suzy Poitras, que chus pas un char pour capoter. Bernard, demande-lui des excuses.

BERNARD, *se voulant autoritaire.* Suzy, ta mère te parle...

SUZY. Qu'est-cé qu'a dit ?

BERNARD. Suzy, écoute ta mère.

SUZY, *indifférente.* J'écoute !

Suzy ouvre le carton de lait et commence à boire à même la pinte.

JEANINE. Suzy, j'te défends de boire comme ça.

Suzy continue de boire. Jeanine lui prend le poignet et le lui tord un peu pour qu'elle arrête de boire. Suzy laisse tomber le carton par terre. Jeanine fige un peu.

SUZY. Ah ! *(À Jeanine :)* R'garde si t'es débile, là.

Suzy ramasse le carton.

JEANINE. Bernard, si tu y parles pas, c'est moi qui vas y parler.

BERNARD, *haussant le ton.* Suzy, c'est moi qui te parle actuellement.

SUZY. T'es sûr de ça ?

BERNARD. Oui, chus sûr.

Suzy se dirige vers la maison avec le carton de lait à la main.

JEANINE. Chus tannée de te répéter toujours la même chose.

SUZY. Ben répète-moi d'autre chose.

Suzy disparaît.

GEORGES. Ça laisse pas sa place dans une maison, ces jeunes-là, hein ?

JEANINE. On se demande des fois qui c'est qui les a faites, ces enfants-là.

GEORGES. À qui le dis-tu... En tout cas, chose certaine, je suis sur mon heure de départ...

JEANINE. Moi aussi j'vas y aller.

BERNARD. Où tu vas ?

JEANINE, *rancunière*. Ben quoi ? Faut bien que j'aille acheter la réception pour ce soir.

GEORGES. J'peux te larguer au centre d'achats, si tu veux ?

JEANINE. Non merci, j'vas me larguer moi-même. Faut que j'aille serrer l'épicerie avant...

GEORGES. Superbe...Voyons, qu'est-cé que j'voulais te dire déjà ? J'ai complètement oublié.

BERNARD. Parfait...

Georges et Jeanine disparaissent. Bernard dépose son sécateur, prend les deux sacs et vient pour rentrer. On entend tout à coup la musique de Suzy. Bernard devient déprimé.

2

LAURETTE ET GEORGES

La scène se déroule dans la chambre à coucher de Georges et de Laurette. Laurette est étendue en déshabillé sur son lit. Elle est déprimée ; elle a le regard fixe. Georges entre dans la chambre, pétant de bonne humeur.

GEORGES. Bonjour, princesse, t'as l'air de bonne humeur à matin...

LAURETTE. Ah ! pas tellement...

GEORGES. Ça paraît pas... ça fait-tu longtemps qu't'es debout ?

LAURETTE. J'te dis qu'y a des matins, j'passerais tout droit jusqu'à fin de mes jours...

GEORGES, *regardant ailleurs.* Dis pas ça, voyons. Comment tu veux être en forme si tu dis des affaires de même ? *(Georges se dirige vers la fenêtre. Laurette commence à pleurer doucement, en silence presque. Elle tente de se retenir.)* En tout cas, t'es pas comme moi, toi ! J't'assez de bonne humeur moi là. Soda que la vie est belle ! Ça s'peut-tu ? Qu'est-cé que j'ai à être en forme de même ? Peux-tu me le dire, toi ? *(Il ouvre le rideau de la fenêtre.)* Ah non ! Dis-moi pas qu'y fait beau en plus... Regarde-moi le temps, toi. Ça c'est de la météo. Moi, un petit peu de bleu dins nuages, là, mon affaire est gorlo... *(Il chante.)* Bleu, bleu, the sky is bleu... la, la, la... *(Il se retourne vers Laurette et*

23

l'aperçoit qui pleure.) Ah ben !... Dis-moi pas que tu pleures ?

LAURETTE, *tentant de retenir ses larmes.* Non, non.

GEORGES. Tu peux me le dire, t'sais, ça me fait rien que tu pleures.

LAURETTE. Non non...

GEORGES. Hon !... J't'ai pas dit ça. On est invités chez Bernard ce soir... Ça c'est de la nouvelle, hein ?... *(Puis, comme s'il parlait à un enfant :)* Ben dis quèque chose... Qu'est-cé tu mijotes là ? Pas du boudin, j'espère ?

LAURETTE, *un peu replacée.* J'serai pas capable d'y aller, j'ai de la misère à me traîner... À part de ça, j'ai l'air de rien de ce temps-là.

GEORGES. Ben non t'as toujours cet air-là, voyons.

LAURETTE. Tu dis ça pour me faire plaisir.

GEORGES. Pourquoi je voudrais te faire plaisir ?

LAURETTE. Qu'est-cé qu'y se passe entre nous deux, Georges ?

GEORGES. Rien. Y se passe absolument rien.

LAURETTE. Me semble que c'était différent avant...

GEORGES. Ben aujourd'hui aussi c'est différent, non ?

LAURETTE, *un peu agressive.* Tu comprends pas, Georges...

GEORGES. C'est pas grave.

LAURETTE. J'm'ennuie, Georges.

GEORGES. De qui tu t'ennuies ?

LAURETTE. J'm'ennuie pas de personne en particulier ; j'trouve la maison grande.

GEORGES. Tu veux-tu qu'on déménage ?

LAURETTE. C'pas ça... Chus tannée de toujours faire la même chose, de juste faire à manger pis de laver la vaisselle.

GEORGES. Ben fais d'autre chose... T'as une balayeuse neuve, sers-toi-z-en... T'as un fil de trente pieds après, c'est pas ça tu voulais ?

LAURETTE, *un peu abattue.* Je l'sais ben... Peut-être que chus pas heureuse.

GEORGES, *bizarre.* Pourtant, tu fais une belle vie. T'as de l'argent, t'as un bon mari, t'es à deux minutes du centre d'achats, qu'est-cé que tu veux de plus ?

LAURETTE. Je l'sais pas... On dirait que j'ai 65 ans, Georges ; pourtant j'en ai juste 39.

GEORGES. Dis pas ça. T'as l'air de 38.

LAURETTE. T'es pas à mode, Georges. Les maris modernes comprennent ça que leur femme fasse une burnout... Toi, on dirait que ça te fait rien...

GEORGES. Dis pas ça... j'trouve ça très plate.

Laurette se retourne dans le lit, dépitée.

LAURETTE. En tout cas...

Petit temps. Georges ne sait plus quoi faire. Il devient encore plus suppliant.

GEORGES, *exaspéré mais toujours en douceur.* Écoute, mon ti-pinson. J't'aime, mais j'ai pus juste ça à faire, moi là... Mon char m'attend devant le garage, là...

LAURETTE, *piquée.* C'est ça, va le rejoindre avant qu'y s'ennuie trop... Tu t'occupes plus de ton char que de moi, Georges...

GEORGES, *suppliant*. Qu'est-cé que tu veux que je fasse avec toi ? On mange ensemble, on dort ensemble ; chus pas pour te passer le « chamois » sur le dos, coudonc !

LAURETTE. Pourquoi pas ?

GEORGES. T'es pas un char quand même.

LAURETTE. Des fois j'aimerais ça en être un...

GEORGES, *ne sachant plus trop quoi dire*. Qu'est-cé tu veux, on fait pas toujours qu'est-ce qu'on veut dans vie... Écoute, Laurette, pourquoi tu vas pas t'étendre un peu au soleil... t'es blanche, blanche... t'as l'air d'une morte.

LAURETTE, *sèche*. Chus pas en état de griller...

La voix de leur fils Junior parvient tout à coup de l'intercom situé sur un des murs de la chambre.

JUNIOR, *voix off*. Un, deux, *testing*... Un deux... allô, occupez-vous pas de moi, continuez ce que vous dites, j'commence à vous entendre là... *Roger*.

Georges va vers le haut-parleur de l'intercom sur le mur.

GEORGES, *enjoué*. Hey ! C'est Junior. Ça va marcher, son intercom.

JUNIOR, *voix off*. Un... deux...

LAURETTE. Ah pas encore lui ! Lui, si ça continue, y va coucher entre nous deux... Des fois, j'me demande ce qui m'a pris d'être enceinte de lui... C'est pas mon fils que j'ai mis au monde, c'est ton frère.

GEORGES. Bon ! Qu'est-cé qu'y t'a fait encore ?

LAURETTE. Je pense que si j'mourrais demain matin, y faudrait que j'y dise, pour qu'y s'en rende compte.

GEORGES. Y t'aime dans l'fond, c'est juste qu'y l'ignore.

LAURETTE. Ah chus tannée, tannée...

GEORGES. Ben non, t'es pas tannée...

LAURETTE, *près d'éclater*. Oui, chus tannée...

GEORGES, *insistant*. Ben non, voyons.

LAURETTE. J'te l'dis, chus tannée, O.K., là ? ! Tiens... *(Elle s'empare du téléphone sur la table de chevet et le jette par terre violemment puis éclate en sanglots sur le lit.)* J'en peux pus, Georges... J'en peux pus. ... Au secours Georges... au secours.

Georges explose à son tour. Il ne supporte pas qu'elle ait lancé le téléphone par terre.

GEORGES. Wô ! Hey, ça va faire là, hein ! Ça va faire l'énervage. Y a moyen de faire une crise comme du monde, me semble... Un téléphone flambant neuf, torna.

LAURETTE, *en sanglots*. Georges, qu'est-cé que j'vas faire ?...

GEORGES, *ramassant le téléphone*. Laisse faire, j'vas le ramasser... T'es trop gâtée, toi. C'est pas tout le monde qui a un téléphone sans fil dans sa chambre. C'est ça ton problème.

Georges joue avec l'interrupteur et colle le combiné à son oreille. Il est assis sur le lit.

LAURETTE. Georges, dis-moi quèque chose.

GEORGES. Allô ? Allô ?

Il compose un numéro.

LAURETTE. Qu'est-cé tu fais, Georges ?

GEORGES. J't'appelle une ambulance.

LAURETTE. Georges, s'il vous plaît...

GEORGES, *attendant que quelqu'un réponde.* C'est mieux de répondre comme du monde...

LAURETTE. Georges, ch't'après venir folle.

GEORGES. C'est pas le temps, ça sonne là... Allô ? Marcel ? *(Soulagé.)* Bon !... Hein ? Oui oui, c'est Georges... Euh, j'voulais savoir... Comment ça va toi ?... Numéro un ? Good !... Moi ? Ah splendide ! (*Laurette pleure toujours. Elle se rapproche de Georges.*) Quoi ? Non, non, y a rien qui braille.

Laurette est à genoux devant Georges, pleine de repentir.

LAURETTE. Georges, Georges.

GEORGES. Laurette ? En grande forme. (*Laurette agite une main devant les yeux de Georges, pour attirer son attention.*) A vous envoye la main justement... Bon, t'es ben fin d'avoir appelé. O.K. Bye ! *(Georges raccroche. Il est calmé.)* Bon ben, tout est correct. *(Il regarde le combiné.)* Je pense qu'y a eu plus de peur que de mal.

LAURETTE, *un peu calmée mais pleurant encore.* Je m'excuse, Georges, d'être déprimée. Tu dois être tanné d'être marié avec une folle comme moi ?

GEORGES. Dis pas ça, j't'ai mariée de même.

LAURETTE. T'aimerais pas ça des fois être heureux ?

GEORGES. Ch't'assez heureux comme ça, qu'est-ce que ça me donnerait de l'être plus ?

LAURETTE, *se rapprochant de Georges.* J'vas être mieux là.

GEORGES. Tu l'es déjà.

LAURETTE. Tu trouves ?

GEORGES. Certain, t'as l'air d'un vrai clown.

LAURETTE. T'sais, Georges, j'aimerais tellement ça pas m'ennuyer avec toi.

GEORGES. Ah ben, ça y en est pas question.

LAURETTE. On devrait partir tous les deux tout seuls, des fois... n'importe où.

GEORGES. Ben sûr... Pourquoi qu'on irait pas au centre d'achats ensemble, tantôt ?

LAURETTE, *un peu déçue.* Au centre d'achats ? O.K. *(Elle se relève.)* Faudrait que j'aille chez la coiffeuse avant.

GEORGES. Pourquoi pas ?... Envoye, va t'habiller...

LAURETTE. T'as le tour avec moi...

GEORGES. Ben non, voyons... Envoye, donne un bécot à mon oncle, là.

Elle l'embrasse du bout des lèvres. Au même moment, on entend de nouveau la voix de Junior qui provient de l'intercom.

JUNIOR, *voix off.* Un deux, un deux...

LAURETTE. Bon ben, j'vas y aller.

Laurette sort. Georges se dirige vers l'intercom.

JUNIOR, *voix off.* Allô ? Allô ? Pôpa ? Pôpa ? M'entends-tu, pôpa ? Pèse sur le piton si tu m'entends. *Roger.*

Georges pèse sur le piton.

GEORGES. Allô ? Junior ? Je te pèse sur le piton là... *Roger.*

JUNIOR. Allô ? Pôpa, j't'entends complètement... Victoire, *Roger...* popa, je veux dire. J'arrive là.

Junior arrive dans la chambre deux secondes plus tard.

GEORGES. T'as fait ça vite.

JUNIOR. J'étais juste à côté.

GEORGES. Hey, c'est vraiment électronique, ça.

JUNIOR. Quasiment. Ça va être pratique en tout cas. Là, mettons que un de vous deux meure, quèque chose, pas besoin de vous énerver, juste à m'appeler dans ma chambre.

GEORGES. Ouan... Y a pas de danger que ça prenne en feu, c't'affaire-là ?

JUNIOR. Non non... pis mettons que j'vois de la lumière un soir en dessous de votre porte pis que j'sais pas ce que vous faites, j'ai juste à vous appeler.

GEORGES. On verra.

Petit temps.

JUNIOR. Pis ? Qu'est-cé qu'on fait après-midi ? On va-tu s'acheter des bas...

GEORGES. Sais-tu, Junior... On se reprendra... Faut que j'aille au centre d'achats avec ta mère.

JUNIOR. Avec Moman ? En quel honneur ?

GEORGES, *sur un ton confidentiel.* Ben écoute, euh... parles-y-en pas mais ta mère file pas tellement de ce temps-là... *(Sur un ton de confidence.)* A s'imagine qu'a s'ennuie.

JUNIOR. Ça doit être dans sa tête.

GEORGES. J'espère que c'est dans sa tête... Qu'est-ce tu veux, nous autres, les hommes, brailler c'est pas notre domaine...

JUNIOR. Moi j'connais rien là-dedans.

GEORGES. A voudrait que j'y parle plus...

JUNIOR. Oh boy ! Y parler en plus ?... Pauvre toi ! Qu'est-cé que tu pourrais ben y dire ?... C'est peut-être ta femme mais... *(Dramatique :)* Oublie jamais une chose : c'est ma mère aussi...

Impressionné par la réplique de Junior, Georges le serre contre lui.

GEORGES. Tu devrais y dire plus souvent. Ça y ferait plaisir. Ta mère, c't'une femme, dans un sens...

Les deux rient.

3

CHEZ STEINBERG

Jeanine est en train de faire son marché dans une sorte de Club Price avec des contenants énormes sur les tablettes. Jeanine tient une énorme bouteille de ketchup devant elle. Luce a une robe couleur pickle... *elle tourne le coin. Jeanine feint de ne pas la voir en se cachant derrière sa bouteille de ketchup.*

LUCE. Oups ! Ah, mon Dieu, c'est toi !

JEANINE. Ben oui, regarde donc ça...

LUCE. Chus contente de te voir.

JEANINE. Ben voyons donc.

LUCE. Avoir su...

JEANINE. Ben oui, hein !... Non mais c'tu effrayant de voir les prix... ?

LUCE. Y rient de notre portefeuille...

JEANINE. T'as-tu vu le prix du steak haché ?

LUCE. J'ose pas... C't'épouvantable. C'est rendu pratiquement ridicule de manger.

JEANINE. J'te crois. Même la saucisse rit de nous autres.

LUCE. Oui, certain. Y a juste les chips qui sont restées raisonnables.

JEANINE. Oui. Les chips pis le foie de veau... Le foie de veau aussi est plein de bon sens.

LUCE. Ah ! moi, le foie de veau, chus pas capable. Ç'a l'air de la langue de chameau, je trouve... Weuark !

JEANINE, *surprise*. Mon Dieu ! Excuse-moi, j'voulais pas te lever le cœur.

LUCE. Non non... (Petit temps.) Parlant de lever le cœur justement... t'sais que j'ai failli t'appeler jeudi passé...

JEANINE. T'as bien fait, j'étais pas là...

LUCE. C'est ça j'ai pensé.

JEANINE. Qu'est-cé tu voulais m'dire ?

LUCE. Ah, rien... absolument rien.

JEANINE. Hon !... C'est de valeur... Moi aussi j'ai essayé de t'appeler à un moment donné. C'était engagé, j'pense.

LUCE. Je devais être sur la ligne.

JEANINE. Ça doit.

Silence. Malaise.

LUCE. J'pensais à ça t'à l'heure avec Fernand, j'espère que j't'ai pas choquée l'autre jour avec mon histoire de varices ?

JEANINE. Quelles varices ? J'me souviens pas. Tu m'as-tu parlé de tes varices ?

LUCE. Tu t'en rappelles pas... ?

JEANINE. Du tout, du tout. C'est-tu bête.

LUCE. En tout cas, j'espère que j't'ai pas froissée. J'parlais pas de toi nécessairement, j'parlais des varices dans le sens large.

JEANINE. Fais-toi-z-en pas. Ça arrive à tout le monde, des varices.

LUCE. C'est parce que j'me demandais si on était pas en chicane...

JEANINE. Ben voyons donc, j'te l'aurais dit.

LUCE. C'est parce que des fois que je parle pis je ne m'en rends pas compte.

JEANINE. C'est pas grave, je t'écoutais même pas.

LUCE. T'es sûre ?

JEANINE. Oublie ça, voyons. Faut savoir pardonner dans vie.

LUCE. Ça doit... *(Temps.)* Ah oui, j'ai vu ton mari avec sa haie, tantôt.

JEANINE. Ben oui, ç'a l'air qu'on va se voir ce soir...

LUCE. Comment ça ?

JEANINE. Bernard t'a pas dit qu'y vous avait invités ?

LUCE. Ça s'peut pas, on a un party de chars à soir.

JEANINE. C'est ben Bernard, ça. Y invite tout ce qu'y voit. On vérifiera en tout cas. J'te dis, les hommes...

LUCE. J'sais pas...

JEANINE. J'me demande ben ce qu'y feraient si on n'était pas là.

LUCE. Y iraient en voir d'autres.

JEANINE. Ton Fernand, y est-tu mieux de son cœur ?

LUCE. Ah, faut qu'y fasse ben attention. Y arrête pas de fumer pis de boire. Le médecin y a dit que si y arrêtait pas, ça sera pas long qui va être kapout.

JEANINE. Hé Seigneur ! Y est un peu jeune pour mourir, Fernand. Non ?

LUCE. Ah ! ben, tsé, trente-six ans, ça commence à être l'âge quand même... Bernard est-tu mieux de son estomac ?

JEANINE. C'est dur à dire. C't'un grand nerveux à l'intérieur.

LUCE. Mais y est souvent dehors par contre...

JEANINE. Oui oui... Sa haie aussi, ça l'aide beaucoup.

LUCE. Une chance qu'y nous ont comme gardes-malades.

JEANINE. Qu'est-ce que tu veux ? Les hommes, c'est des grands bobos, dans le fond.

LUCE. Y vieillissent avec l'âge.

JEANINE. Sont moins fringants qu'y étaient.

LUCE. Sont plus mâles pour en parler que pour le faire ben souvent.

JEANINE, *riant.* Est-tu bonne, elle ? C'est vrai pareil ; moi, j'prends quasiment juste la pilule pour y faire plaisir.

LUCE. En tout cas, j'te dis que le démon du midi, y veille pas tard le soir.

JEANINE. Non, c'est plus le « siesteux » du midi...

Les deux femmes rient encore un peu... Silence. Malaise.

LUCE. Mais sais-tu que t'as maigri, toi ?

JEANINE. Ah ! pas sur moi en tout cas !!!

LUCE. Non, sérieuse, on dirait t'es mieux de la taille.

JEANINE. J'ai encore ma culotte de cheval par contre. Touche ici, touche.

Luce la touche.

LUCE. Voyons donc, c'est ton bassin ça.

Jeanine prend la main de Luce et la met sur sa taille.

JEANINE. Pis ça ? C'est quoi ça tu penses, hein ?

LUCE. C'est rien, ça.

JEANINE. Ça, c'est du chocolat.

LUCE. Tout le monde en a de ça !

JEANINE, *lui mettant la main sur sa cuisse.* Pis ça ici, c'est quoi, hein ?

LUCE. Oui, mais des fois les varices, là...

Luce arrête sec.

JEANINE, *insultée.* Quoi, les varices ?

LUCE, *confuse.* Ben des fois, quand ça disparaît, ça... ça crée du mou.

JEANINE. C'est ça. *(Pointant son panier.)* J'vas y aller, moi, avant que ma dinde fasse des varices...

LUCE, *très mal, se forçant à rire.* Ta dinde faire des varices ? Tu veux-tu me faire mourir, toi ?

JEANINE. Qu'est-ce t'en penses ?

Jeanine part fâchée.

LUCE. À ce soir, là.

JEANINE. C'est ça...

4

AU SALON DE COIFFURE

Georges et Laurette sont tous les deux au salon de coiffure. Les deux sont sous le séchoir. Georges s'est fait faire un afro.

GEORGES, *romantique.* On est bien, hein ?

LAURETTE. Ça fait longtemps qu'on a pas été bien comme ça ensemble.

GEORGES, *souriant toujours.* Ben, profites-en...

LAURETTE, *heureuse.* J'me sens comme en voyage.

GEORGES, *levant les yeux vers le casque du séchoir.* On dirait qu'on s'en va sur la lune...

LAURETTE. Ben oui...

GEORGES. La lune de miel...

LAURETTE, *émue.* J'aimerais ça que tu me parles tout le temps comme ça...

GEORGES. T'as juste à me le demander. *(Petit temps. Laurette semble retomber dans ses pensées. Georges, qui a peur du silence.)* Veux-tu lire une revue ?

LAURETTE. Non, non... toi ?

GEORGES, *tout sourire.* C'est comme tu veux... je peux en lire une si ça te tente.

LAURETTE. Ça me dérange pas...

GEORGES. Moi non plus... *(Petit temps.)* T'es-tu bien ?

LAURETTE. Oui, oui...

GEORGES. Sûre ?

LAURETTE. Sûre, sûre...

GEORGES. Non mais, dis-le si t'es pas bien...

LAURETTE, *un peu sèche, agacée.* J'te l'dis que chus bien.

GEORGES. Choque-toi pas... on est pas pour se chicaner pour ça, voyons ?

LAURETTE, *un peu mal.* On se chicane pas non plus...

GEORGES. Je le sais. *(Puis avec le sourire.)* C'est fragile l'amour, hein ?

LAURETTE. Non, non, c'est moi qui est prime...

GEORGES, *souriant.* T'es comme mon char...

LAURETTE. T'es fou...

GEORGES. Ça me fait plaisir.

Petit temps. Les deux sont ailleurs une seconde.

LAURETTE, *romantique.* J'aimerais ça qu'on soit toujours comme on est là...

GEORGES. On reviendra si tu veux...

LAURETTE. Pas juste ici, j'veux dire... *(Elle redevient un peu anxieuse.)* T'es sûr qu'on va y arriver ?

GEORGES. Où ça ?

LAURETTE. À se « réaimer » comme des « Roméo » ?

GEORGES. Écoute, Laurette, moi quand je décide d'aimer quelqu'un, y a pas le choix : y passe au cash. Je l'sais que c'est pas toujours facile pour une femme de s'ennuyer, mais dis-toi qu'à partir d'aujourd'hui, j'vas être là pour t'encourager... pis le jour ou je vais arrêter de t'aimer, c'est parce que je vais être couché entre quatre planches...

LAURETTE, *touchée.* Dis pas ça, j'veux pas que tu meures.

GEORGES. Fais-toi-z-en pas... chus pas ce genre-là.

LAURETTE. J'aimerais ça mourir avec toi.

GEORGES. C'est le rêve de ben du monde, ça...

Laurette retombe dans ses pensées.

LAURETTE. Y est quelle heure, là ?

GEORGES. Attends un ti-peu. *(Il regarde sa montre.)* Y est deux heures. C'est-tu correct ?

LAURETTE, *un peu contrariée.* J'aurais aimé ça qu'y soit plus de bonne heure.

GEORGES. Ah !... Je m'excuse. *(Temps.)* Mais t'es heureuse quand même ?

LAURETTE, *agacée un peu.* Quand même quoi ?

GEORGES. Quand même qu'y est deux heures ?...

LAURETTE. Ah, recommence pas, là... J'ai ben le droit d'être heureuse pis de trouver qu'y est tard.

GEORGES. Je le sais... Excuse-moi... chus tellement pas habitué d'être au septième ciel... *(Petit temps. Georges cherche.)* Laurette ?

Laurette se retourne vers lui et Georges lui décoche son plus beau sourire.

LAURETTE. Pourquoi tu fais ça ?...

GEORGES. Je l'sais pas...

Laurette sourit un peu pour lui rendre la politesse.

LAURETTE, *amusée.* T'es nono.

GEORGES. Nono de qui, tu penses ?

Georges ne cesse de lui sourire.

LAURETTE, *un peu gênée, regardant autour.* C'est correct là...

GEORGES. Oh oh !... Je pense que t'es due pour un petit bec, toi là... *(Il se lève et se frappe la tête sur le séchoir.)* Ayoye donc, câline de binne.

Georges se lève et va vers elle pour l'embrasser. Il a les rouleaux sur la tête.

LAURETTE. Ah wow ! Ça te fait bien des rouleaux...

GEORGES. Ah oui ? je peux les garder si tu veux...

5

CUISINE DE BERNARD ET JEANINE

Bernard est assis à la table de cuisine. Il est en train de bricoler. Il fixe une boîte de café après un bâton de ski pour en faire un cendrier de parterre. Soudain on entend de la musique rap ou dance. *Bernard sursaute.*

BERNARD. Hé torrieu ! *(Bernard disparaît. Voix off.)* Hey ! Ça va faire, la musique de zoo, là ! *(La musique arrête brusquement. Il revient dans la cuisine et va s'asseoir. À lui-même :)* Non mais coudonc ! Un peu de respect pour le tympan quand même !

Il se lève, va au frigidaire, prend le carton de lait et boit à même la pinte. Suzy arrive dans la cuisine, des patins à roulettes sur l'épaule et des écouteurs de walkman dans le cou. Elle surprend son père en train de boire.

SUZY. Les microbes !

Bernard sursaute. Il se sent pris en flagrant délit.

BERNARD. C'est le fond de la pinte.

Suzy va jusqu'à lui et lui prend le carton de lait des mains. Elle brasse un peu le carton.

SUZY. T'as le fond haut pas mal. Si m'man a sait ça, a va ben *tilter* !

Elle boit à son tour.

BERNARD. T'as pas de devoirs à faire, toi là ?

Elle serre le lait dans le frigidaire.

SUZY. Ah, y m'est arrivé une affaire plate, là. J'ai oublié mon sac à l'école.

BERNARD. Ouan, j'vas dire comme toi, c'est plate rare. Pis qu'est-ce tu vas avoir l'air, lundi, à l'école ?

SUZY. Ben... j'vas avoir l'air d'avoir un billet de toi.

BERNARD. Eh ben. Rien que ça. Veux-tu un bill de dix avec ça ? Hein ? Tant qu'à y être. Envoye donc !

SUZY. J'peux-tu avoir un vingt à place... tant qu'à y être, envoye donc !

Bernard la regarde fixement.

BERNARD. J'la trouve pas drôle du tout, ta joke.

Suzy baisse les yeux et fait une moue. Elle s'appuie contre le frigidaire.

SUZY. C'est pas une joke.

Suzy se détourne et commence à jouer avec son walkman.

BERNARD. Regarde-moi ben, là. Tu m'vois-tu, là.

SUZY. Ben, t'es pas manquable.

BERNARD. J'ai-tu l'air d'une valise, selon toi ? Hein ?

SUZY. Bon, y vient de se ploguer...

Suzy installe ses écouteurs de walkman. Elle l'écoute à tue-tête. On entend même le son très clairement. Bernard la regarde avec surprise. Musique rap ou dance *du début de la scène.*

BERNARD, *haussant le ton pour qu'elle l'entende.* Suzy, j'attends.

SUZY. T'attends quoi ?

BERNARD, *énervé.* J'attends pour mon air de valise. J'ai-tu l'air d'une valise... Oui ou non ?

Suzy hausse les épaules.

SUZY. Ben oui... ben oui.

Bernard s'enrage.

BERNARD. Bon ! *(Il arrache le fil des écouteurs du walkman.)* Pis ferme-moi c'te musique de névrosé-là.

SUZY. Ahh, Ahh... Heavy ! Heavy !

BERNARD. Y a pas de E. V. C'est ça, c'est ça.

SUZY. C'est ça quoi ?

BERNARD. C'est ça rien. Pis à part de ça, pour ton billet... tu l'demanderas à ta mère.

SUZY. Ah p'pa, fais pas le rat !

BERNARD. Pardon ? Le quoi ?

SUZY. O.K. le hamster d'abord. Non mais, tu connais m'man, y arrive rien avec elle.

BERNARD. Ben là ! Faut-tu qu'elle ait un accident pour qu'y arrive quèque chose avec elle ?

SUZY. Non, mais... a lève pas.

BERNARD. Qu'est-cé qu'a lève pas ?

SUZY. Ben... elle.

BERNARD. J'sais pas si j'te suis, là.

SUZY. Non, l'affaire c'est qu'a trippe machine à laver. T'sais... *(Elle fait un signe de la main pour dire qu'elle est gaga.)* A roule juste sur un *béring...*

BERNARD. Hey wôw !... Non mais, un instant, là ! Oublie pas, ma fille, que ta mère a l'a pas eu de jeunesse. C'femme-là est née la tête dans le linge sale.

SUZY. Justement, a comprend rien.

BERNARD. J'pense que tu y vas un peu fort. Ta mère est surprenante des fois pour quelqu'un qui a pas d'instruction. A l'aurait même pu être intelligente si a l'avait voulu. A l'a tout un jugement pour une femme. L'autre fois, a m'a expliqué pourquoi a lavait les verres avant les chaudrons, pis j'vas t'dire j'y aurais pas pensé. Ta mère, c't'une intelligence pratique.

SUZY. Ben qu'a pratique sur d'autres que moi. J'y demande pas grand-chose. J'y demande juste... d'être comme toi. En tout cas, moi j'trouve que à côté d'elle, t'es écœurant.

BERNARD, *pas sûr de l'intention.* Parles-tu de moi, là ?

SUZY. Non, mais toi t'es super cool. J'peux faire n'importe quoi, tu dis rien.

BERNARD, *flatté.* Bah ! qu'est-ce tu veux... Moi-même j'ai eu ma période assez révolté merci. Pour te dire, les gars m'appelaient Bernard Guévara.

SUZY. Tu devais être débile pas mal.

BERNARD, *flatté.* Ben là, débile... j'dirais pas... mais j'me défendais quand c'était le temps de dire bonsoir à une fille, j'donnais pas ma place. Pis toi, les gars, ça commence-tu à allumer une cloche dans ta tête ?

SUZY. Qu'est-cé tu veux dire ?

BERNARD. Bah, j'pense que t'es pas mal rendue à l'âge de... la sexualité. Non ?

SUZY. J'espère. Pis ?

BERNARD. Pis, ben, c'est ça... si pour cette raison-là ou une autre t'avais le goût d'avoir une conversation d'homme à homme avec moi ou si jamais y a des choses que tu comprends pas... euh... dans l'exercice de... de la « libidido », ben, gêne-toi pas. C'est quand même moi qui t'as mis au monde... à travers ta mère bien sûr. Ça fait que je suis pas le dernier venu dans la chose du domaine.

SUZY. Énerve-toi pas avec ça, p'pa. Y a rien là. Mon chum m'a tout expliqué ça.

BERNARD, *surpris.* Ah... ben, si y a rien là... c'est ça qui compte... Qu'est-ce qu'y fait dans vie, ton chum ?

SUZY. Y est beau.

BERNARD. Oui mais, est-ce qu'y a une profession qui l'attire en particulier ?

SUZY. Oui : tripper.

BERNARD. Ah ben, coudonc ! Beau métier !... Pis toi, là, commences-tu à penser à l'avenir un peu ?

SUZY. Oui, justement ! Quelle heure qu'y est là ?

BERNARD. Trois heures moins quart. Non mais après, y a pas un secteur qui t'intéresse ?

SUZY. Bah, j'aimerais ça faire le motton, mais dans queq'chose de buzzant.

BERNARD. J'connais pas ça, ce métier-là. Moi, tout ce que j'peux t'dire, c'est rien qu'une chose. C'est qu'un jour j'me suis levé à treize ans pis j'me suis dit : Bernard, fais ce que dois. Pis depuis c'temps-là, ç'a jamais arrêté. Mais toi, t'as pas l'air d'en avoir de phrase de même à te dire. Ça t'inquiète pas ?

SUZY. Pas besoin de m'inquiéter. On va buster ben avant ça.

BERNARD. Comment ça ?

SUZY. Le sida, la pollution, l'effet de la serre. On va toute s'exteindre... s'extinder ? En tout cas, on sera pus là...

BERNARD. Voyons donc, y l'aurait annoncé dins jour-
naux, tu sais ben... Pis là, avec les déodorisants en bâton,
y vont l'éliminer, l'effet de serre...

Suzy se rapproche de son père, aguichante.

SUZY. P'pa, qu'est-cé tu fais, là ?

BERNARD. J't'en train d'me patenter un cendrier pour
mon parterre. Pourquoi ? Ça te tente-tu de m'aider ?

SUZY. J'aimerais ça, oui, mais là, c'est parce qu'y faut
que j'aille faire du *roller blade.*

BERNARD. Ben, vas-y.

SUZY. Oui, mais j'ai pas d'argent.

BERNARD. Ben vas-y pas.

SUZY. Ah p'pa, *come on* !

BERNARD. C'est-tu pour t'acheter de la drogue, ça ?

SUZY. Ben certain.

BERNARD. T'es mieux !...

6

DANS LE GARAGE DES GENDRON

Georges est dans le garage avec son fils Junior. Junior l'a fait venir pour avoir un entretien sérieux avec lui.

JUNIOR, *en parlant de l'afro de son père.* J'aime ça c'te coupe-là, c'est dur de s'habituer au début, mais à un moment donné on l'oublie...

GEORGES. M'as essayer d'être à mode pendant un p'tit bout de temps. Si jamais j'aime pu ça c'tête-là, j'mettrai la hache dedans.

JUNIOR. Écoute, euh... si je t'ai demandé de venir dans le garage, c'est parce que j'aimerais ça te parler de quèque chose...

GEORGES. Pas un problème de drogue toujours ?

JUNIOR. Non non... Pas à ma connaissance en tout cas. Non, écoute, ça fait une coupe de semaines que ça me tourne autour du pot, prends pas ça personnel, mais je pense que j'aimerais ça... déménager.

GEORGES. Oh boy !... Qu'est-ce que t'entends au juste par déménager ? Irais-tu jusqu'à rester ailleurs ?

JUNIOR. Non, non... Pas jusque-là. Non, non... J'aimerais ça déménager, mais dans' maison. Pour être franc, c'est la cave que je vise. Me semble que chus rendu au stade de rester à côté de la chambre de lavage.

47

GEORGES. En *grosso modo*, ce que tu veux c'est changer de chambre.

JUNIOR. En gros c'est ça, oui, pis de toute façon, veut, veut pas, un jour je vais ben être obligé de me marier, j't'aussi ben de m'habituer tout de suite à vivre tout seul.

GEORGES, *songeur*. Ouan... mais là, vivre dans cave... t'as pas peur que ça influence tes résultats scolaires ?

JUNIOR. C'est sûr qu'y va y avoir une période d'adaptation à faire. C'est pour ça que je comptais déménager pendant l'été.

GEORGES. Ouan... *(Lui tendant la paume de la main.)* O.K., mon grand : tape là.

Les deux se tapent la main.

JUNIOR, *soulagé*. Ah wow !... En tout cas, si jamais j'vois que j'me dirige vers un fiasco, je remonterai en haut.

GEORGES. Pis on sera là pour t'accueillir ! Tu seras toujours le bienvenu au rez-de-chaussée.

JUNIOR, *se met la tête sur l'épaule de Georges*. Merci, Pop... Pis en plus, vu que je gagne ma vie à temps partiel maintenant, j'avais pensé vous verser une pension de 18 dollars par mois...

GEORGES. Non, ça y en est pas question.

JUNIOR, *radin*. Comme tu voudras.

GEORGES. C'est tout ?

JUNIOR. Oui et non.

GEORGES. C'est quoi le non...

JUNIOR. C'est-à-dire que, comme tu l'sais, l'année prochaine je vais évoluer vers le Cegep et, euh, j'espère que tu seras pas fâché, mais j'avais pensé opter pour la Faculté de... dentiste.

GEORGES. Dentiste ! Ah wow ! Félicitations, mon grand !

JUNIOR, *fier*. De rien... *(Les yeux au loin, dans le vague, regardant l'avenir !)* C'est pas de ma faute : j'ai toujours été attiré par les dentiers, ça doit être héréditaire ; mais avant de m'embarquer dans la bouche du monde, j'aimerais ça quand même entendre ton son de cloche.

GEORGES. Pis ça va me faire plaisir. Écoute bien, Junior : y va toujours y avoir de la place pour un gars dedans, euh... dans... dans dent... Pis dis-toi une chose : les modes changent mais les caries restent... En ce qui m'a trait, la dent, les dentiers, appelle ça comme tu veux, tout ce qui mâche, quoi, ça m'a toujours permis de faire manger ma famille...

JUNIOR. Mais y a pas juste l'argent qui m'attire là-dedans. Y a le côté humain de l'aspect... *(Pathétique.)* J'trouve ça utile d'aider l'humanité à mâcher.

GEORGES. Ben sûr. Pis y a le fait d'être professionnel aussi, c'est peut-être pas grand-chose, mais ça aide le monde à t'écouter quand tu parles.

JUNIOR. En tout cas, j'espère que tu me trouves pas trop préoccupé de m'en faire ?

GEORGES. J'aime autant te voir de même qu'avec un joint de drogue en arrière de l'oreille.

JUNIOR. Parlant de drogue, j'ai failli me faire offrir une bière l'autre jour.

GEORGES. Bah, y a rien de mal là-dedans... J'ai rien contre un gars qui prend un verre de temps en temps en autant qu'y soit capable le r'sserrer après. Sauf que la boisson, Junior, c'est comme les femmes... faut que tu sois capable de dire non à un moment donné.

JUNIOR. Ah oui, à propos de t'ça... parles-en pas, mais y a une fille de ce temps-là. J'y cracherais pas dessus.

GEORGES. Ah ben ? C'est qui la chanceuse ? Pas la petite Pincourt toujours ?

JUNIOR. Ah non, non, elle est ben qu'trop jeune de caractère. A rit de moi quand a me voit. Non, la mienne, a s'appelle Sylvie... je pense.

GEORGES. C'est-tu un joli brin ?

JUNIOR. Est assez brin... C'est pas une beauté, mais pour une première blonde.

GEORGES. Faut ben commencer par quèque chose... C'est-tu une jeune fille sérieuse ?

JUNIOR. Ç'a l'air, ça fait deux ans qu'a sort avec le même gars.

GEORGES. Ouan... tu y as-tu déjà parlé au moins ?

JUNIOR. Presque... j'avais pensé l'inviter à venir voir une vue en fin de semaine... mais y a rien de bon à la télévision...

GEORGES. Allez en voir une au cinéma.

JUNIOR. J'ai pas d'argent à mettre là-dessus. Pis j'ai mon compte d'encyclopédie à payer cette semaine... Pis je l'sais pas de quoi parler avec. De quoi qu'on parle avec une femme ?

GEORGES. Oh boy ! Là tu me demandes une affaire.

7

DANS LA CUISINE CHEZ BERNARD
ET JEANINE

Jeanine et Bernard sont dans la cuisine. Bernard lit son journal. Jeanine prépare des petits sandwiches.

BERNARD. He ! monsieur ! As-tu vu ça, moman ? Ç'a l'air qu'y ont tué la « Marraine » de Miami.

JEANINE. La marraine de qui ?

BERNARD. La femme du « Parrain ». C'est écœurant, a même reçu deux balles dans sa sacoche.

JEANINE. Pauvre elle. Y l'ont pas manquée...

BERNARD. Ça, ç't'à part des treize balles qui y ont tirées dans' tête... Sont pas chanceux en plus, c'est même pas elle qu'y visaient.

JEANINE. Était-tu jolie ?

BERNARD. Ben là, de même, c'est dur à voir. Ça fait jamais bien à personne treize balles dans' tête.

JEANINE. A va s'en rappeler, en tout cas...

Temps.

BERNARD, *n'écoutant pas, absorbé dans la lecture de son journal.* Hey, j'te dis que l'homme est rendu loin. Ç'a l'air qu'on serait capable de parler avec des singes.

JEANINE. Ça se taille bien, du pain tranché, hein ?

BERNARD. Sûrement... J'saurais pas de quoi parler avec un singe, moi.

JEANINE, *partie dans son idée*. Qui c'est qui a inventé ça, le pain tranché, coudonc ?

BERNARD. Sûrement le même qui a inventé le toaster.

Jeanine prend un peu de mayonnaise sur le couteau avec un doigt puis lèche son doigt.

JEANINE. Ça goûte donc bon de la mayonnaise, hein ?

BERNARD. Ça doit.

JEANINE. On peut pas dire à quoi ça goûte.

BERNARD, *toujours absorbé*. C'est la vie...

JEANINE. Comment ça se fait, c'est bon avec n'importe quoi ?

BERNARD, *délaissant son journal...* Quoi ?

JEANINE. La mayonnaise.

Bernard pointe le pot de mayonnaise sur la table.

BERNARD. Est là, là.

Bernard retourne à la lecture de son journal. Jeanine prend d'autre mayonnaise, un peu froissée par le manque d'intérêt de Bernard. Soudain elle fige en pensant à quelque chose.

JEANINE. Ah non !

BERNARD. Quoi ?

JEANINE. J'ai oublié d'acheter du déodorant pis y m'en reste pus.

BERNARD. C'est pas une journée de plus qui va faire la différence. Tu mettras du mien.

JEANINE. J'vas avoir l'air fine, moi. Ça paraît que c'est pas toi qui vas sentir l'homme. Qu'est-cé qu'a va dire, Luce, tu penses ?

BERNARD. A ira pas te sentir en dessous des bras quand même.

JEANINE. Tu l'sais pas... C'est vrai, Suzy en a peut-être, elle. Coudonc, y as-tu parlé finalement, à Suzy ?

BERNARD. Pourquoi ?

JEANINE. Ben... pour à matin, pis en général.

BERNARD. Ah ! Suzy !... mets-en que j'y ai parlé, toi.

JEANINE. Pis ?

BERNARD. Pis, ben... ç'a passé par là.

JEANINE. Qu'est-cé tu y as dit ?

BERNARD. Ah... A le sait.

JEANINE. Pis elle, qu'est-cé qu'a dit ?

BERNARD. Ça aussi a le sait.

JEANINE. Bon... Ben y était temps.

BERNARD. Y était pas trop tard quand même.

Bernard revient à son journal.

JEANINE. Je sais pas si j'devrais faire de la salade aux patates ?

Bernard ne répond pas.

JEANINE. Hein, Bernard ?

BERNARD. C'est-tu à moi que tu parles ?

JEANINE. Non, c't'au mur.

BERNARD. Ah ! O.K.

Ils continuent chacun leurs occupations en silence. On continuera de les voir pendant la scène suivante.

8

LE TÉLÉPHONE

Georges et Junior sont encore dans le garage. Laurette est dans sa chambre, impatiente.

GEORGES. Tiens-les à 35, les pneus. C'est facile à retenir : 35. *Repeat after me...*

JUNIOR. *Thirty five.*

GEORGES. J'te l'dis : à 35, t'auras jamais de trouble dans' vie.

Laurette appelle Georges de nouveau à l'intercom. La voix de Laurette provient de l'intercom.

LAURETTE, *voix off.* Georges, t'es-tu là, Georges. Je capote là... *Roger.*

GEORGES. Oui oui, je suis là, *Roger...* Tiens, Junior, c'est le temps d'y parler à ta mère.

Georges fait signe à son fils de répondre à sa place et sort du garage.

JUNIOR. Y s'en vient, là, maman. *(Voulant être fin avec sa mère.)* Comment ça va toi, à part ça ? *Roger.*

LAURETTE. Ça va mal... *Roger.*

JUNIOR. C'tu vrai ?... En tout cas, j'voulais te dire ça, là... je l'sais que j'ai l'air bête des fois avec toi, mais c'est pas volontaire ; ç't'à cause de mon âge... ch't'en période de révolte un peu... à cause de mon adolescence, là... *Roger*...

LAURETTE. Pourquoi tu m'dis ça ?

JUNIOR. Pour te faire plaisir.

Georges fait son entrée dans la chambre à coucher.

GEORGES. Bonjour, princesse.

LAURETTE. Ton père arrive, là... Bon, j'peux-tu te parler là, *Roger* ?

Georges répond tout en observant sa coupe afro dans le miroir.

GEORGES. Euh... oui oui.

LAURETTE. C't'à propos de ce soir, chez Bernard.

GEORGES, *à lui-même.* Ça fait sportif, un afro...

LAURETTE. Je l'sais pas si ça me tente d'y aller.

GEORGES, *revenant près d'elle.* Voyons donc, penses-tu que je l'sais moi ? Pis j'y vas pareil.

LAURETTE. Me semble que ça fait longtemps qu'on les a pas vus... ça me gêne.

GEORGES. Ben voyons, ça fait vingt ans qu'on se connaît. Le pire qu'y peut arriver, c'est qu'on ait du plaisir...

LAURETTE. Ben oui, mais les autres qui vont être là, j'les connais pas. J'sais pas quoi leur dire...

GEORGES. Tu leur diras qu'y fait beau... de toute façon, c'est même pas sûr qu'y vont venir...

LAURETTE, *s'enflammant.* Ben qu'y se décident... Hé que j'haïs ça du monde de même. D'un coup c't'une soirée « chic »... Jeanine, a l'avais-tu l'air d'être pour se mettre en pantalons ?

GEORGES, *se tâtant la tête.* J'ai pas remarqué.

LAURETTE. Ah, ç'a pas d'allure... regarde-toi donc les cheveux à part de ça...

GEORGES. Quoi ? Sont corrects, mes cheveux...

LAURETTE. Je l'sais, c'est pas ça... mais c'est trop compliqué comme soirée...

GEORGES, *ton compréhensif.* Écoute, calme-toi, là, j'vas appeler Bernard pis j'vas y demander le plan de la soirée.

Georges commence à téléphoner.

LAURETTE. Dis-y qu'on est invités ailleurs.

GEORGES. Ça se fait pas ça...

LAURETTE. Tu l'sais pas, on l'a jamais essayé.

Le téléphone sonne chez Bernard. Bernard se lève pour aller répondre. On aperçoit en même temps Georges et Laurette qui sont dans leur chambre.

BERNARD. Allô ?

GEORGES. Bernard, c'est Georges.

BERNARD. Certainement.

GEORGES. Écoute... C'est au sujet de ce soir. Prends pas ça mal, mais, euh, qui c'est qui va être là ce soir ?

BERNARD. Ben y va y avoir vous autres en tout cas...

GEORGES. Ah bon ! *(À Laurette :)* Y va avoir nous autres en tout cas.

LAURETTE, *insistante à voix basse.* À part de ça ?

GEORGES, *à Bernard.* À part de ça ?

BERNARD. Ah ! à part de ça ? Ça va bien.

GEORGES. Tant mieux, mais, euh, Fernand, y va-tu venir lui ?

BERNARD. Je l'sais pas, pourquoi ?

GEORGES, *mal à l'aise.* Ah ! c'pas ça. *(À Laurette :)* Y l'sait pas.

LAURETTE. Demandes-y comment qu'y s'habillent, eux autres.

GEORGES. Euh, comment tu t'habilles, toi ?

Bernard est un peu embêté et regarde Jeanine qui cherche à savoir ce qui se passe.

BERNARD. Ben je l'sais pas, là. J'vas peut-être mettre les pantalons que j'ai sur le dos...

LAURETTE. Demandes-y si c'est chic.

GEORGES. Sont-tu chics tes pantalons ?...

BERNARD, *regardant son pantalon.* Chics ?... Euh, moyen... Pourquoi tu me demandes ça ?

GEORGES. C'est parce que Laurette aimerait ça savoir comment qu'a va être habillée ce soir.

Laurette est fâchée un peu par cette remarque de Georges.

BERNARD. Ben je l'sais pas, moi... Attends, j'vas te passer Jeanine... *(Il fait signe à Jeanine de prendre le téléphone.)* *(À Jeanine.)* C'est Laurette.

GEORGES, *en passant l'appareil à Laurette.* Jeanine va te le dire...

LAURETTE, *l'appareil près de la bouche.* J'veux pas y parler à elle.

JEANINE. Allô ?

LAURETTE, *mal à l'aise.* Allo ! chus contente de te parler.

JEANINE. Ç'a l'air qu'on va se voir ce soir ?

LAURETTE. Ben oui, tu parles d'une affaire... écoute, c'est juste pour savoir... je l'sais pas si on va y aller ce soir.

JEANINE, *assurée et calme.* Ben oui, vous allez venir, voyons.

LAURETTE. Vos voisins, y vont-tu y aller, ç'a l'air ?

JEANINE. Supposé, mais je pense pas...

Jeanine regarde Bernard, fière d'elle comme si elle venait de dire la phrase parfaite.

LAURETTE. Ah bon ! *(Hésitante.)* Ben sais-tu, j'pense qu'on va laisser faire quand même...

JEANINE. Ben voyons donc, y a-tu une raison ?

Georges semble déçu. Bernard se demande ce qui se passe.

LAURETTE. Non, non, c'est pas à cause de ça...

Jeanine fait un air de dépit à Bernard.

BERNARD. Qu'est-cé qui se passe ?

JEANINE, *à Bernard.* A veut pus venir...

BERNARD. Dis-y donc qu'y viendront pas.

JEANINE, *à Laurette.* Bernard fait dire que vous viendrez pas.

LAURETTE, *contente.* Ah non ? Parfait, ça.

BERNARD. Non non. Fernand pis Luce, j'veux dire...

JEANINE, *à Laurette.* Non non, Fernand pis Luce, pas vous autres.

LAURETTE. Écoute, y est ben fin, mais j'a connais pas, elle.

JEANINE. Tu manques rien, m'as te dire... Écoute, là, pourquoi tu viens pas ? Ça va être ben plus simple.

LAURETTE. Tu penses ?

JEANINE. Chus sûre.

LAURETTE. Y faut-tu s'habiller ?

JEANINE. Ben non.

Laurette hésite. Elle regarde Georges qui lui fait signe d'accepter.

LAURETTE. Bon ben, on peut ben y aller, mais je t'promets rien...

JEANINE. Bon. Parle-moi de t'ça. Fait que à ce soir...

LAURETTE. On verra.

Elles raccrochent. Fade-out *sur la chambre de Georges et de Laurette. Jeanine retourne à ses sandwiches. Bernard à son journal.*

JEANINE, *en allant se rasseoir.* Pauvre Laurette. J'te dis qu'a l'aime ça s'en faire...

BERNARD. Dis pas ça... ça nous regarde pas.

Petit temps. Jeanine s'arrête, un peu paniquée.

JEANINE. J'pense à ça... comment je vais m'habiller, moi, ce soir...

BERNARD, *tout en lisant son journal.* Appelle Laurette.

ACTE II

Jeanine est dans le salon en train de se regarder.

JEANINE. Que c'est j'ai l'air avec mon costume sur le dos ?

Bernard entre sur scène.

BERNARD, *sans la regarder.* T'es pus la même...

JEANINE, *se touchant les cheveux.* Me semble j'ai l'air petite avec mes cheveux.

BERNARD, *remontant son pantalon et regardant ses bas.* J'ai pas changé de bas, finalement.

JEANINE. J'pensais que tu mettrais ta chemise jaune. Mets-toi donc à côté du sofa, voir. *(Bernard s'exécute.)* Me semble que le sofa aurait mieux paru si t'avais mis ta chemise jaune...Tu trouves pas que j'ai l'air folle ?

BERNARD. Avec le sofa ?

JEANINE. Non non tout seule de même ?

BERNARD. Me semble que non. *(Sonnette de la porte d'entrée. Bernard se dirige vers la porte, suivi de Jeanine.)* Ça doit être eux autres.

JEANINE, *à Bernard en le suivant.* Dis-moi-lé donc, j'ai l'air folle...

BERNARD. Y é trop tard !... *(Bernard ouvre la porte. Ils accueillent Georges et Laurette.)* Ah ! ben quen ! !

JEANINE. Ah ben ! La belle visite.

LAURETTE. Où ça ?

JEANINE. Ben vous autres !

LAURETTE. Ah excuse ! On est pas en avance, j'espère.

BERNARD, *faisant une farce.* C'est pas grave ça. Vous partirez plus de bonne heure, c'est toute.

GEORGES, *sérieux.* Ben oui, c'est toute... *(Regardant Jeanine.)* Hey, ça te fait bien, Jeanine.

JEANINE. J'te remercie. Pis toi, qu'est-cé qu'y est arrivé avec tes cheveux ? Si ça avait pas été de toi, je t'aurais pas reconnu.

GEORGES. Merci.

Silence

LAURETTE, *à Bernard, pour meubler le silence.* Ta chose... ta cédrière... ta haie a l'air en forme, hein ?

BERNARD. Ma haie ? Mets-en. A court pas pis c'est juste.

Ils rient de bon cœur.

GEORGES. Ahhh... J'te dis qu'on est contents de vous voir.

JEANINE. C'est rien comparé à nous autres. On passe-tu au salon ?

LAURETTE. C'est pas nécessaire, faites rien de spécial...

Les deux couples se dirigent vers le sofa, les hommes ensemble, les femmes ensemble.

GEORGES, *à Bernard.* Pis, qu'est-cé qu'y a de neuf depuis à matin ?

BERNARD. Ohhh !... C'est dur à dire, là...

GEORGES. *Good* ! Parle-moi de ça ! *(Il donne une « bine »
à Bernard.)*

LAURETTE. Mon Dieu, Jeanine, ça se peut pas : t'as ben
un beau costume.

JEANINE. Tu l'aimes ? J'trouvais que j'avais l'air folle
dedans.

LAURETTE. Ça paraît pas. *(Ils sont rendus dans le salon.
Personne n'ose s'asseoir.)* Mon Dieu, vous avez tout changé
votre salon de place.

JEANINE. Ben oui, avant y était dans' salle à dîner.

LAURETTE. C'est-tu beau ! On se penserait ailleurs.

BERNARD. Même nous autres, on est gênés de veiller
dedans.

GEORGES. Imagine-toi nous autres.

Silence.

BERNARD, *à Georges.* J'ai rénové la... la chose, là... la *switch*
sur le mur, ça te tente-tu de voir ça ?

GEORGES. Y a rien qui m'ferait plus plaisir, mon vieux.

*Bernard et Georges vont voir l'interrupteur électrique sur le mur
du salon pendant que les femmes parlent à la cuisine.*

JEANINE. J't'ai pas dit ça, ma fille ?

LAURETTE. Ben non !

JEANINE. J'ai toute refaite ma cuisine.

LAURETTE. Non non non ! Mais t'aurais dû me l'dire.

JEANINE. Viens voir ça.

LAURETTE. Hon que ça doit être joli !... J'avais pas remarqué.

Laurette et Jeanine vont vers la cuisine.

JEANINE. Regarde, j'ai « mise » de la tapisserie sur le mur du poêle. J'trouve que ça fait plus *kitchen*.

LAURETTE. Je comprends ! Mais t'avais en plein le genre de mur pour mettre de la tapisserie toi.

JEANINE, *en confidence.* J't'ai pas dit ça pour Gertrude ?

LAURETTE. Ben lâche-moi, toi.

JEANINE. Ben oui, ma fille, imagine-toi donc que Gertrude est allée passer un examen pour le test du sein.

LAURETTE. Hé qu'est pas chanceuse !

JEANINE. Pis ç'a l'air qu'a l'a pas eu son résultat encore.

LAURETTE. Pauvre elle. Moi, avoir le cancer, j'pense que j'en mourrais.

JEANINE. Ben c'est ça j'y ai dit, mais j'voulais pas la déprimer, tu comprends bien.

LAURETTE. Ben t'as ben fait. Est pas séparée, elle ?

JEANINE. A peut pas, son mari est mort.

LAURETTE. Pauvre lui. Quoique là, au moins, y se retrouvera pas veuf.

JEANINE. Y a ça...

L'éclairage de la cuisine s'éteint. On se retrouve avec Bernard et Georges devant l'interrupteur sur le mur du salon.

BERNARD. Pis avant, la *switch* était sur le mur ici...

GEORGES. T'es pas sérieux ?

BERNARD. J'te l'dis.

GEORGES. Mais là ici c'est le bonheur !

BERNARD. Le nirvana, mon vieux... quen, regarde ça aller. *(Il allume et éteint l'interrupteur, montre son thermostat mural.)* Pis ça, ici, c'est mon thermostat électronique.

GEORGES. Wow !... Là, là, tu peux régler ta température à satiété.

BERNARD. Absolument... c'est comme la NASA... c'est toute programmé d'avance... mettons que tu veux mettre ta température à 20 degrés... je sais pas, moi... pendant 20 secondes à minuit.

GEORGES. 20 secondes ? O.K.

BERNARD. Ben tu programmes tout ça par ici... tu pèses sur la pitoune ici, pis là ben tu règles toute la patente...

GEORGES. Je l'sais, j'en ai un pareil chez nous...

BERNARD, *un peu déçu.* Ah bon !

Court silence. Ils décident de revenir dans le centre du salon.

GEORGES. Pis ? Finalement, as-tu posé ta toilette dans' cave ?

BERNARD. Pas encore. *(Bernard regarde en direction de la cuisine.)* Parles-en pas à Jeanine, c'est ça que j'veux y faire comme cadeau de Noël.

GEORGES, *rassurant.* Dis-toi qu'avec moi, c'est comme si tu parlais dans le vide.

Les femmes reviennent de la cuisine.

LAURETTE. En tout cas, t'es bien meublée en fait de maison. C'est vrai... C't'un rêve pour un sofa de vivre ici.

JEANINE. Qu'est-ce que tu veux, quand tu restes dans une maison, y faut bien que tu vives dedans...

Les deux couples sont debout autour du sofa. Personne n'ose s'asseoir.

BERNARD. Ben, m'as dire comme c'te gars, assoyez-vous.

GEORGES. On peut ben faire ça pour toi. (*Ils s'assoient.*) Hé, monsieur, j'te dis qu'on est assis dans vos sofas.

LAURETTE. On se penserait couchés.

BERNARD, *blagueur.* Endors-toi pas, toi là.

LAURETTE. Y a pas d'danger. Moi ça m'prend des pilules pour dormir.

Silence. Malaise.

GEORGES. Ouan... J'pense j'vas me mettre de côté un peu... *(Georges se tourne un peu de côté. Avec un soupir de satisfaction :)* Ahhhh... *(Temps.)* Ouan... moé, à matin, j'ai sorti mes vidanges.

BERNARD. En avais-tu beaucoup ?

GEORGES. Trois sacs...

BERNARD. Hé, monsieur, t'as mis ça devant la maison.

GEORGES. J'sais pas...

LAURETTE. Y en a-tu des vidanges, hein ?

JEANINE. Qu'est-cé tu veux ! Faut ben que les vidangeurs mangent eux autres aussi.

Bruit du Bug Reducer.

LAURETTE. Ah ! Mon Dieu ! Quessé ça ?

BERNARD, *en blague.* Rien. *(Se touchant la poitrine.)* C'est mon pacemaker.

LAURETTE. Un problème de batterie ?

GEORGES, *en riant.* Non, de maringouin !

BERNARD. C'est ça : j'ai un maringouin au cœur !

JEANINE. Innocent ! *(Vers Laurette :)* C'est le réduiseur d'insectes dehors... ça fait exploser les maringouins.

LAURETTE. Weuark !... Ça salit pas le gazon quand les maringouins tombent à terre ?

BERNARD, *pince-sans-rire.* Non, les fourmis passent la balayeuse.

GEORGES, *éclatant de rire.* C'est ça...

LAURETTE. Y souffrent-tu beaucoup ?

JEANINE. Non, ç'a l'air qui se rendent compte de rien.

LAURETTE. Tant mieux.

GEORGES, *sérieux, vers Laurette.* C'est mieux qu'une claque en tout cas.

BERNARD. Oui, parce qu'une claque, y peuvent rester handicapés...

GEORGES. Oui oui... c't'une belle mort finalement... pour un maringouin, là, j'entends.

JEANINE. Pour une mouche aussi...

BERNARD. Oui. Un écureuil volant aussi.

LAURETTE, *dégoûtée.* Weuash !

JEANINE. Bernard, Bernard. *(Toujours en blague.)* Non mais là, je parle d'un cas de suicide.

LAURETTE. Ah ! Ben oui... Moi, être un animal, j'aurais aimé ça être un suisse.

JEANINE. Ah oui ?

LAURETTE. Oui, oui... j'adore les peanuts pis les parcs...

JEANINE. C'est intéressant...

Suzy fait son entrée.

GEORGES. Ah ben quen ! Si c'est pas ma blonde qui arrive...

SUZY, *directement à sa mère.* Chose m'as-tu appelée ?

JEANINE. Tu pourrais dire bonjour avant.

SUZY, *toujours à sa mère.* Bonjour avant. Y m'a-tu appelée ?

JEANINE, *pour la forcer à être polie.* « Comment ça va ? »

SUZY, *exaspérée, à Laurette.* Comment ça va ?

LAURETTE. Pas mal, merci, toi ?

SUZY. Bienvenue. *(À Jeanine :)* Pis ? Y a-tu appelé là ?

JEANINE. Non, y a pas appelé...

SUZY. Ah shit ! Y est-tu tas de marde, lui...

LAURETTE. Ah mon Dieu !...

Elle se sent mal.

JEANINE, *honteuse.* Excusez-nous... *(Vers Suzy, haussant le ton :)* Suzy, qu'est-cé j't'ai dit à propos de parler mal ?

SUZY. Ah ! Commence pas à fliper.

JEANINE. Hey ! c'est pas toi qui vas me dire quand fliper, O.K. !

LAURETTE. C'est pas possible... on dirait qu'a l'a encore grandi, elle.

SUZY, *moqueuse.* Ça pousse, hein ?

LAURETTE. Tu me l'dis, toi...

GEORGES. Si ça continue, on pourra pus te dire n'importe quoi...

SUZY. Ça va faire changement...

JEANINE. Suzy ! C'est pas à moi que tu parles, là...

GEORGES. C'est rien ça, Jeanine, voyons. C'est parce qu'a l'aime ça me taquiner. Dans le fond, chus son meilleur, hein, Suzy ?

SUZY. Mets-en... *(À Jeanne :)* Si y a quelqu'un qui m'appelle, j't'effoirée dans ma chambre.

Suzy disparaît. Malaise.

LAURETTE. Dire que c'est venu au monde, c'était haut de même !

GEORGES. Ben oui...

JEANINE. De quoi on parlait déjà donc ?

GEORGES. Du suicide chez les suisses.

JEANINE. Ah oui, c'est vrai !

Temps.

BERNARD. Coudonc, as-tu revu Jean-Paul, toi ?

GEORGES. Parle-moi-z-en pas, j'sais même pas de qui tu parles.

BERNARD. Ah non, j'me mêle avec un gars que tu connais pas.

GEORGES. Ah, O.K....

Silence.

JEANINE. Voulez-vous boire quèque chose ? Toi, Laurette ?

LAURETTE. Ah... Donne-moi c'que t'as...

JEANINE. Pis toi, Georges ?

GEORGES. Donne-moi c'que t'as.

Jeanine se lève.

JEANINE. Bernard ?

BERNARD. La même chose.

GEORGES, *en riant.* Un « c'que t'as » on the rock ?

BERNARD, *souriant.* C'est ça...

GEORGES. La pognes-tu, Laurette ?

LAURETTE, *songeuse.* Oui, beaucoup...

Silence. Jeanine prépare les drinks.

JEANINE. Paraît que la fille de Louisette va avoir un bébé ?

LAURETTE. Hon, y va-tu être cute ?

JEANINE. Y paraît qu'est grosse, c't'effrayant...

LAURETTE. Qu'est-ce tu veux, faut être grosse pour être enceinte.

Silence. Jeanine passe les drinks.

GEORGES. C'est rendu qu'avec les médecins, y peuvent te faire deviner ton sexe avant que le bébé vienne au monde.

BERNARD. Y a pus d'infini... Si ça continue, les enfants vont aller à l'école avant de venir au monde.

GEORGES. Ce serait pas une mauvaise affaire. De toute façon, y est jamais trop de bonne heure pour s'instruire.

Petit silence.

LAURETTE. Georges t'a-tu dit ça qu'on suit des cours de danse ?

JEANINE. Ben non.

LAURETTE. Ben oui.

JEANINE. Aimez-vous ça ?

LAURETTE. Ah ma fille, c'est le jour et la nuit.

GEORGES. Y paraît qu'un couple qui danse le cha-cha quinze minutes par jour, c'est comme courir quinze minutes pendant un mille.

BERNARD. Y a pas d'erreur.

La sonnette retentit.

JEANINE. Mon Dieu, qui c'est ça ? C'est pas déjà Fernand pis l'autre, là, qui reviennent de leur cocktail ?

LAURETTE, *se levant d'un bond.* Bon ben... nous autres aussi on va y aller... on vous remercie, c'était excellent.

GEORGES, *la rasseyant.* Voyons ! Calme-toi, princesse... C'est peut-être juste Junior qui nous rapporte les clefs de l'auto. *(Vers Jeanine :)* Junior donnait une démonstration de Tupperware ce soir.

Bernard est rendu à la porte. Junior est là, avec sa coupe afro lui aussi. Il a un sac de plastique à la main avec des plats Tupperware dedans.

BERNARD. C'est personne, c'est juste Junior. *(Vers Junior :)* Ça va ben, le grand !

JUNIOR, *en entrant.* Salut, jeune homme !... La santé est de bonne humeur ?

BERNARD. Faut ben.

JUNIOR. J'viens juste porter les clefs de l'auto...

Ils arrivent au salon.

JEANINE. Mon Dieu ! Une autre afro ! Êtes-vous tombés sur une vente de rouleaux ?

JUNIOR. Non, malheureusement, j'ai payé le gros prix... Ça va, la belle Jeanine ?

JEANINE, *embarrassée par sa familiarité.* La belle Jeanine ?... Oui, oui, ça va, toi ?

JUNIOR. Le plaisir est pour moi... *(À Laurette à qui il tend la main.)* Bonjour, maman, enchanté.

Laurette sourit.

LAURETTE, *se levant et lui serrant la main.* Moi, pareillement... *(Pointant Georges :)* Georges, votre père.

JUNIOR, *à Georges en lui rendant les clefs.* Pis ? Vous vous ennuyez pas trop ?

GEORGES. Comme tu vois...

JUNIOR. Parle-moi de ça ! *(Il jette un coup d'œil sur le salon.)* Hé, monsieur ! C'est ben beau ici, ç'a-tu passé au feu ?... C'est pas votre ancien sofa ça ?

JEANINE. Oui. Je l'ai fait recouvrir contemporain.

JUNIOR. Wow !... super...

Junior pointe un tableau au mur.

JUNIOR. C'était pas là ça avant ? C'est-tu un peintre canadien ?

JEANINE. Non, ça c'est un Van Gogh.

JUNIOR. Avez-vous payé ça cher ?

JEANINE. Une vingtaine de piastres.

JUNIOR. C'est le prix... Coudonc, j'regardais ta haie en arrivant... Hé, monsieur, je te dis qu'a pousse... Que c'est ça, c'te haie-là, c'est-tu de la mauvaise herbe ?

Junior et Georges rient. Bernard est vexé.

BERNARD. C'est ça, oui.

JUNIOR. J'disais ça pour te faire rire.

BERNARD. J'te remercie.

JEANINE. Veux-tu boire quèque chose, Junior ?

JUNIOR. Non merci... surtout que je rentre au Cegep l'année prochaine.

JEANINE. Assis-toi deux minutes...

JUNIOR. J'sais pas si j'ai le temps, là.

JEANINE. As-tu un rendez-vous galant ?

JUNIOR. Quasiment, oui... Non, j'ai ben de l'ouvrage qui m'attend à maison. Je veux mesurer mon lit, pis le cadre de la porte dans la cave, pis j'aimerais ça mettre de l'ordre dans ma collection de boutons de manchettes.

JEANINE. Ouan... pas mal occupé... *(Jeanine sent que Junior fatigue Bernard.)* Ç'a l'air que t'es rendu un monsieur Tupperware aussi ?

Laurette et Bernard rient. Georges sourit.

JUNIOR, *ne riant pas.* Tu ris, mais moi-même j'me suis acheté une couple de plats en vue de ma future...

GEORGES. Y se part un trousseau...

BERNARD. Ben oui, y pense déjà à se mettre les pieds dans les plats.

Ils rient. Junior ne rit pas.

JEANINE. Laisse-le faire. Au moins y sera pas tout nu le soir de ses noces.

Suzy arrive dans le salon, habillée pour sortir.

SUZY. J'm'en vas chez Linda, O.K. ?

JEANINE. Tiens, c'est à elle que tu devrais vendre tes plats. Ça l'occuperait un peu.

SUZY, *à sa mère.* O.K. là ?

JEANINE, *en indiquant Junior.* Regarde qui c'est qui est là.

SUZY, *indifférente*. Ah !... Allô.

JUNIOR, *se levant, gêné*. Salut, enchanté de mes hommages.

SUZY. Enchanté de mes hommages ? ? ! ! ! Ouan t'en fumes du bon !...

JUNIOR. Merci !... Ouan !... ça pousse, ça pousse.

SUZY. Pis toi ça r'trousse, ça r'trousse.

JUNIOR. Pis... Qu'est-ce t'as fait c't'hiver ?

SUZY. J'ai été gelée.

JUNIOR. *Good, good...*

Temps.

SUZY, *à sa mère*. Bon ben, j'peux-tu y aller là, m'man !

JEANINE. Pourquoi t'amènes pas Junior avec toi ?

SUZY. Ben, j'pense pas que ça y tente. *(À Junior :)* Hein ?

JUNIOR. Ç'a pas l'air !

GEORGES, *en se levant*. Ça se peut-tu être branleux de même. *(Il donne ses clés à Junior.)* Quen, allez-y avant que j'change d'idée, là.

SUZY. Ben là, c't'un peu buggant. On était supposé de s'parler, Linda pis moé.

JEANINE. Ben Junior aussi est capable de parler, hein, Junior ?

JUNIOR. J'vas juste aller la r'conduire. J'reviendrai pas tard.

GEORGES. Tu r'viendras ben à l'heure que tu voudras, d'abord que t'es ici à minuit pile.

JUNIOR. J'vise le moins quart, popa.

Junior et Suzy se dirigent vers la porte.

SUZY. Hé, cibole !

JEANINE. Faites pas trop les fous, là.

GEORGES. En tout cas, faites pas ce qu'on est pus capable de faire, là !...

JEANINE. Ah ! les jeunes...

GEORGES. Et les framboises...

JEANINE. Quoi, les framboises ?

GEORGES. Ah ! rien...

Petit temps. Bernard bâille. Jeanine voit Laurette assise seule dans la cuisine.

JEANINE. Ça va, Laurette ?...

Réalisant qu'elle est dans la lune.

LAURETTE. Ah !... oui, oui, c'est parce que...

Elle revient s'asseoir au salon, confuse. Bernard s'endort dans son fauteuil. Malaise.

GEORGES. Pis !... Êtes-vous allés en Europe, finalement ?

BERNARD. Ah ! l'Europe, c'est pas le mot...

LAURETTE. Avez-vous aimé ça à votre goût ?

JEANINE. Hé, ma fille ! Avoir eu une semaine de plus, on serait restés un mois encore.

LAURETTE. Chanceuse !

Petit silence.

GEORGES. Vous avez dû en voir des affaires ?

JEANINE. On a même vu du monde.

LAURETTE. Où c'est que vous couchiez ?

BERNARD. En Europe.

LAURETTE. Ah wow !

Petit silence.

GEORGES. Mais, euh... ça avait l'air de quoi ça, l'Europe ?

BERNARD. Ç'avait l'air d'une vraie carte postale.

LAURETTE. Avez-vous des photos ?

JEANINE. Non, mais on a des diapositives.

GEORGES. Ça vous tente-tu de les voir ?

JEANINE. Ben certain... Toi, Laurette ?

LAURETTE, *avec le sourire, se trompant de formule.* Vos diapos ? Ah mon Dieu ! J'en rêve...

BERNARD. Ah oui ?... Ben ton rêve va être réalisé, ma fille. *(Bernard se lève et va chercher la petite table sur laquelle est installé le projecteur. Pendant ce temps, Jeanine déroule l'écran.)* Ferme donc la lumière, Jeanine...

Jeanine éteint la lumière. On voit apparaître une première diapositive. C'est la photo d'un passeport.

JEANINE. Ça, c'est un de nos passeports.

LAURETTE. Mon Dieu que c'est gros...

Changement de diapositive. Photo d'un avion posé au sol.

BERNARD. Ça, c't'un avion.

LAURETTE. Ah wow ! Y paraît bien là-dessus.

JEANINE. Merci...

GEORGES. Ça doit être haut dans l'avion...

BERNARD. Haut, c'est pas le mot... Surtout quand y est dins airs.

Changement de diapositive. Plan de la face de Bernard. On ne voit rien d'autre.

LAURETTE. Mais c'est Chose, ça...

JEANINE. Ben oui, c'est Bernard en face du monument.

GEORGES, *à Bernard.* C'est-tu toi qui as pris la photo ?

BERNARD. C'est un de nous deux.

LAURETTE. Y devait être grillé là-dessus.

JEANINE. Y a tout perdu ça en revenant.

LAURETTE. Où ça ?...

Changement de diapositive. Photo de la Seine.

JEANINE. Ça, c'est la Seine.

BERNARD. C'est là que l'eau passe dans Paris.

JEANINE. C'est un peu leur Rivière-des-Prairies.

BERNARD. En plus sale.

GEORGES. C'est pollué ?

BERNARD. Ben tu comprends, c'est de la vieille eau pas mal... c'est de l'eau qui date du Moyen Âge.

Changement de diapositive. Photo d'un gars quelconque qui marche dans la rue.

JEANINE. Ça, c't'un Européen...

LAURETTE. Mon Dieu qu'y a l'air jeune, là-dessus.

Changement de diapositive. Photo de la tour Eiffel.

JEANINE. Ah !... Ça, c'est notre fameuse tour Iffel.

GEORGES. C'est elle, ça ?

LAURETTE. Dire que ça a été bâti, ça...

GEORGES. Hey, c'est laquelle des sept merveilles du monde, elle ?

BERNARD. La troisième... je pense...

LAURETTE. C'est pas pire.

BERNARD. La quatrième, c'est Jeanine.

JEANINE, *en riant.* C'est pour ça que chus faite comme une pyramide.

LAURETTE, *oubliant de rire.* Hé ! qu'est folle.

Changement de diapositive. Photo d'un bidet.

JEANINE. Ça c'est notre bidet.

GEORGES. Ah wow ! Superbe.

LAURETTE. Tu parles d'un beau souvenir...

Changement de diapositive. Photo d'un croissant dans une assiette.

BERNARD. Ça, c'est notre p'tit déjeuner.

LAURETTE. Hum... ç'a l'air bon.

Changement de diapositive. Photo de miettes du croissant après le déjeuner.

BERNARD. Ça, c'est après le déjeuner.

GEORGES. Ah ! ben oui...

Changement de diapositive. Photo de Jeanine devant une façade quelconque. Elle a un grand sourire.

BERNARD. Ça ! c't'une photo de Jeanine qui rit.

LAURETTE. Ça doit-tu être le fun rire de même.

GEORGES. Où c'est que vous étiez ?

BERNARD. En Europe... *(Changement de diapositive. L'Arc de Triomphe.)* Ça c'est l'arche de triomphe.

LAURETTE. Ah wow ! Qui c'est qui a fait le trou dedans ?

BERNARD. Le soldat inconnu, je pense.

Changement de diapositive. Photo d'une vache dans un pré.

LAURETTE. Mon Dieu, ç'a l'air d'une vache, ça.

JEANINE. C'en est une. C't'une vache française.

LAURETTE. A l'air d'une vache comme nous autres...

Changement de diapositive. On arrive à un blanc. Il n'y a plus de diapositives.

BERNARD. Bon ! c'est fini.

JEANINE. Me semble qu'on a visité plus d'affaires que ça ?

BERNARD. Me semble que la vache c'est la dernière affaire qu'on a visitée.

GEORGES. C'est pas grave.

LAURETTE. En tout cas, j'vous félicite. J'trouve que vous avez fait un bien beau voyage.

GEORGES. Oui, bravo !...

Elle applaudit. Georges l'imite. Ils se lèvent même pour applaudir.

BERNARD ET JEANINE. Merci... merci...

Jeanine va rallumer les lumières. Bruit de la sonnette. Fernand entre de lui-même, suivi de Luce. Fernand est un peu saoul. Il prend le plancher.

FERNAND. Oh ! Oh ! Oh ! C'est-tu ben ici le *party* des nudistes ?

LAURETTE. Hein ? *(Paniquée.)* Ah mon Dieu !

BERNARD, *se levant.* C'est ben icitte. Fermez la porte. On gèle.

FERNAND. C'est pas fini toujours ?

Georges et Jeanine se lèvent. Laurette hésite un peu puis se lève à son tour.

BERNARD. Non, non, on recommence, là...

GEORGES, *tout sourire*. On vient juste de se rhabiller.

JEANINE, *à Luce*...T'es bien belle.

LUCE. Tu peux bien parler, toi. T'as l'air de la Place des Arts.

JEANINE. Tu connais pas Laurette ?

LUCE. Pas à ma connaissance, non.

JEANINE. Laurette, ma voisine Luce. C'est elle qui devait venir ce soir.

LAURETTE. Arrivez-vous d'Europe vous autres aussi ?

LUCE. Non, de Brossard... On avait un *party* de chars à Brossard.

LAURETTE. Ah bon... tant mieux... y fait beau, hein ?

LUCE. Merci ! C'est ça que j'allais dire.

BERNARD. Ça va bien, Luce ?

LUCE. Toi aussi. Toujours satisfait de la haie ?

BERNARD. On peut pas y demander plus.

FERNAND, *à Georges en pointant Laurette*. C'est pas ta femme, ça, Georges ?

GEORGES. Ç'a l'air...

FERNAND. Bacadème ! J'comprends que t'a sortes pas souvent. Comment t'as faite toi pour pêcher ça, c'te beauté-là ?

GEORGES. Y a pas juste la beauté qui compte...

FERNAND. Je vois ça...

BERNARD. Laurette, c'est Fernand. Fais-y attention, c'est un charmeur de pommes.

LAURETTE. J'avais très hâte de vous rencontrer.

FERNAND. J'comprends ça... J'vous embrasserais ben la main, mais j'aurais trop peur de vous embrasser d'autre chose à la place.

LAURETTE, *gênée*. Ah oui ?... bien aimable.

BERNARD. Luce, tu connais Georges ?...

LUCE. Oui, oui. *(À Georges :)* Mon mari m'a parlé de... vos dents après-midi. Vous êtes dentiérologue, c'est ça ?

GEORGES. Presque ça, oui. Ç'a l'air que vous avez un petit problème de blé d'Inde ?

LUCE. Un peu, oui, surtout quand je le mange avec mes dents.

Tout le monde est debout.

JEANINE. Voulez-vous vous asseoir, quelqu'un ?

BERNARD. Ben oui... Prenez-vous un sofa.

FERNAND, *prenant un des sofas à la blague*. Prends ton boutte, Luce, on l'amène à maison.

LUCE, *vers Laurette*. Non, mais y est-tu assez épais ?

LAURETTE, *mal à l'aise*. Ben oui, hein !... *(Vers Jeanine :)* On... on s'assoit-tu nous autres même ?

JEANINE, *ne sachant trop quoi répondre*. Euh ! C'est libre.

GEORGES. Je peux ben rester debout, moi...

LUCE. Moi aussi, tant qu'à ça.

LAURETTE. On est pas obligés de s'asseoir, finalement.

BERNARD. Ben voyons donc, y a du sofa en masse.

FERNAND. J'peux ben aller chercher un fauteuil chez nous, si tu veux...

LAURETTE. Ça sera pas nécessaire.

FERNAND. C't'une farce.

LAURETTE. Excusez-moi, je la connaissais pas...

Ils s'assoient.

JEANINE, *à Luce.* Pis ?

LUCE. Ah ! *(Elle se force pour bien parler.)* On a eu bien du plaisir...

JEANINE. Est-ce que ça avait lieu en quelque part ?

LUCE. Non, ça avait lieu dans une réception...

JEANINE. Avez-vous bien mangé ?

FERNAND. Le gin était pas pire, en tout cas.

Georges la trouve bonne...

LAURETTE. C'était un *party* de quoi ?

LUCE. Le but du *party*, c'était de rencontrer les nouveaux chars. Y avaient même fait un gros gâteau en forme de Camaro.

JEANINE. Y devait être bon ?

FERNAND, *comique !* Y goûtait un peu l'gaz...

Georges et Bernard rient.

LUCE. Évidemment, y a fallu que Fernand essaye de rentrer dedans...

LAURETTE. Dans quoi ?

LUCE. Dans le gâteau... Y a toute défoncé la vitre sur le côté.

FERNAND. J'avais pas les clés...

Les hommes rient.

JEANINE. Y en avait-tu qui étaient en robes longues ?

LUCE. Pas vraiment, non. Mais y en a une qui est arrivée avec une de ces poitrines, ma 'tite fille. On aurait dit qu'a l'avait juste ça sur le dos.

FERNAND. Était pas pour laisser ça chez eux...

LUCE. Y a un bout au décolleté, quand même.

FERNAND. Voyons donc, était pas si pire que ça... était même très popire, j'trouve...

LUCE. Je comprends qu'était popire. T'as passé la soirée à la déshabiller des yeux...

FERNAND, *à Georges.* Pis le pire, c'est que j'ai pas été capable de rien voir.

GEORGES. Ça t'aurait pris un périscope...

LAURETTE, *surprise.* Ah ! ben... regarde donc qui c'est qui parle.

GEORGES, *souriant.* Quoi ? J'ai ben le droit d'être un homme des fois.

LAURETTE. Depuis quand ?

FERNAND. Georges ? Voyons donc ! Y a l'air de rien de même, mais y a ben des femmes qui aiment ça, c'te genre-là...

GEORGES. Certain...

LAURETTE. Me semble, oui...

JEANINE, *en soupirant, amusée.* Ahhh...

Petit temps.

FERNAND. Coudonc, ça s'peut-tu que j'aille chaud, moi ?

LUCE. Ben oui, mais c'est parce que t'es rouge aussi... C'est pas bon pour ton cœur d'être rouge de même...

BERNARD, *à Fernand*. Veux-tu boire quèque chose ? J'peux te faire un gin.

FERNAND. Dérange-toi pas juste pour un, fais-moi-z-en un double.

LUCE. Tu trouves pas que t'as assez bu pour ce soir ?

FERNAND. Ouan. *(Vers Bernard :)* O.K. Fais-moi-z-en un pour demain soir d'abord...

LUCE. En tout cas, viens pas te plaindre si tu te retrouves mort un beau matin...

FERNAND. Je dirai pas un mot, j'te l'jure.

BERNARD. Luce, veux-tu boire quelque chose ?

LUCE. Ah ! donne-moi c'que t'as.

BERNARD, *debout*. Veux-tu une petite crème de menthe ?

LUCE. Ah ! donne-moi c'que t'as.

BERNARD. J'en ai...

LUCE. Donne-moi-z-en une...

BERNARD. Georges ? Un petit réfill ?

GEORGES. Merci. Je me sens juste assez « feeling ».

BERNARD. Laurette ?

LAURETTE. Ça va, j'ai un petit peu mal au cœur...

JEANINE. T'as-tu envie d'être malade ?

LAURETTE. Non merci... peut-être plus tard.

Bernard part chercher les consommations. Petit temps.

FERNAND, *en regardant vers Laurette.* Bon ben, on l'commence-tu, le *party* de nudistes, là ? On attend après toi, Georges.

GEORGES, *souriant.* Oh boy ! Me semble de me voir tout nu.

LAURETTE. Me semble, oui...

FERNAND, *à Luce.* N'empêche que j'haïrais pas ça à un moment donné aller faire un tour dans une réserve de nudistes.

LUCE. Tu iras tout seul.

FERNAND, *à Laurette.* M'as y aller avec Laurette d'abord. Hein ?

LAURETTE, *très mal à l'aise.* Ben sûr.

FERNAND, *toujours à Laurette.* Non mais, sérieusement là, ça doit être toute une expérience d'être tout nu ?

LAURETTE. Probablement, oui...

LUCE. Voyons donc, on est pas des chevreuils pour se promener tout nus dans le bois...

JEANINE. C'est pas pour rien que le bon Dieu a inventé le linge.

LUCE, *à Fernand.* Tu sais ben que c't'une gang de sensuels qui se tiennent là...

FERNAND. En tout cas... Moi, j'dis que c't'un sport comme un autre.

Bernard arrive et sert les verres.

BERNARD. Quoi ça ?

FERNAND. Le nudiste.

BERNARD. Ça coûte pas cher d'équipement en tout cas. *(Puis, en se rassoyant.)* L'affaire que je me suis toujours demandée sur les nudistes, moi, c'est : où c'est qu'y mettent leur p'tit change, c'monde-là ?...

GEORGES, *en riant.* Oui, pis leur peigne aussi ! *(À Laurette :)* Pis leur peigne... *(Les hommes rient. Petit temps. À Luce :)* Vous, Luce, êtes-vous une amateur de quèque chose en particulier ?

LUCE, *timide.* Ah oui, oui... un peu...

GEORGES. Comme quoi ?

LUCE. Ah, euh... j'aime bien ça me faire griller...

GEORGES. Ça vous permet de prendre du soleil en même temps.

LUCE. C'est ça, oui...

LAURETTE, *à Jeanine.* C'est vrai qu'a doit être bonne pour griller, elle. A l'a l'air foncée...

JEANINE. Elle ? C'est effrayant. A cuit à rien... une vraie dinde...

GEORGES. Vous faites-vous griller à l'extérieur seulement ?

LUCE. Ah, un peu partout.

GEORGES. Et, euh... avez-vous d'autres hobbies en dehors de votre peau ? Écoutez-vous de la musique ?

LUCE. Un peu.

GEORGES. Classique ?

LUCE. Environ.

JEANINE. Coudonc, Georges, es-tu après faire une enquête ?

LAURETTE. Ben oui. C'est quoi, ces questions-là ? C'est nouveau ça ?

GEORGES. Ben quoi... j'm'instruis. J'connais rien dans le grillage... *(À Luce :)* J'irai vous voir griller un bon jour, vous me montrerez comment vous faites ça...

LUCE. Quand vous voudrez...

Petit temps.

FERNAND, *qui s'ennuie depuis un moment.* Ouan...

JEANINE. Quoi ?... Qu'est-cé qu'y a ?

FERNAND. Je disais ça de même...

JEANINE. Ah bon... (*Petit temps.*) Hou... Ça fait du bien de pas parler deux minutes.

LAURETTE. Oui oui... Ça change les idées...

Petit temps.

GEORGES, *pour repartir la conversation, prenant un cendrier.* C'est pas nouveau, ce cendrier-là ?

BERNARD. Non, non, on l'a toujours eu.

GEORGES. Me semblait aussi... T'as-tu vu, Laurette, leur cendrier ?

Il lui tend le cendrier, elle le soupèse.

LAURETTE. Oui oui... superbe !...

Petit temps.

FERNAND, *exaspéré.* Bon ben, qu'est-cé qu'on fait, là ?

LUCE. Voyons donc, Fernand, on est pas chez nous...

BERNARD. Qu'est-cé ça te tente de faire ?

GEORGES. À moins qu'on joue aux cartes ?

FERNAND, *ragaillardi.* Ahh ! Strip-poker peut-être...

LAURETTE. Chus pas ben bonne aux cartes, moi...

FERNAND. C'est ça qu'y faut à ce jeu-là...

JEANINE. Pourquoi on jouerait pas aux charades ?

LUCE. Ah oui, ça c't'une idée...

FERNAND. Comment ça marche, ce jeu-là ?

JEANINE. C'est ben nono. Tu vas aimer ça.

FERNAND. Merci.

JEANINE. De rien. Regarde : mettons que j'prends un mot que j'ai dans ma tête pis que vous essayez de le deviner, tu comprends-tu ?

FERNAND. Pis qu'est-ce qu'y arrive si je trouve le mot ?

JEANINE. Tu gagnes.

FERNAND. Je gagne quoi ?

JEANINE. Tu gagnes rien.

FERNAND. C'est l'fun !

JEANINE. Certain. O.K. ? J'y vas. *(Elle se lève. Fernand s'essuie le front. Il a chaud.)* O.K., tout le monde ? J'vous avertis, c't'un difficile... O.K. Fernand ?

FERNAND, *indisposé.* Envoye donc...

Jeanine indique le chiffre un.

LUCE. Un mot ?

Jeanine fait signe que oui et montre le chiffre deux.

LAURETTE. Deux syllabes. *(Jeanine fait signe que oui et indique « un ».)* Première syllabe. *(Jeanine se pointe à la hauteur de la poitrine.)* Euh, toi ?

Jeanine fait signe que non et continue à se pointer du doigt.

LUCE. Jeanine ?

Jeanine fait signe que non.

BERNARD. Dinde ?

Gros rire de Luce.

JEANINE. Ahh !

Elle continue.

GEORGES. Pointer du doigt ?

Jeanine fait signe que non. Fernand est rendu debout et suit en terminant son verre.

LAURETTE. Ceci ?... Pyramide ?

Jeanine fait signe que non et se « pogne » à la taille.

LUCE. Gras ?

FERNAND. Poupoune ?

Jeanine est un peu fâchée, fait signe que non et se repointe du doigt.

LAURETTE. Moi ? (*Jeanine fait signe que oui et indique « deux ». Elle fait mine de verser du thé, comme si elle avait une théière à la main.*) Deuxième syllabe... Qu'est-cé ça ?

Jeanine fait signe que non et continue.

LUCE. Verser ?

Jeanine fait un signe d'à peu près et continue.

GEORGES. Café ?

Jeanine fait le signe « à peu près ».

FERNAND. Hélicoptère ?

Georges rit.

Jeanine fait signe que non et continue.

LUCE. Thé ?

Jeanine fait signe que oui.

LAURETTE. Moi thé ?

89

GEORGES. Moite ?

Jeanine fait signe d'à peu près.

FERNAND. Moitié ?

JEANINE, *excitée.* C'est ça...

BERNARD. Ouan, fallait le savoir... Moitié !

JEANINE. Ben, c'est ça le jeu... O.K., Fernand... C'est à toi.

FERNAND. Ouan... *(Se prend le poignet, en s'approchant.)* J'peux-tu prendre un mot que j'connais ?

JEANINE. N'importe quel...

Fernand indique le chiffre deux.

LAURETTE. Deux syllabes ?

FERNAND. Deux mots...

JEANINE. Ben, dis-lé pas.

Fernand indique le chiffre « un » et se tient le cœur comme pour indiquer un malaise.

LAURETTE. Premier mot... Ému ?

Fernand fait signe que non et continue.

BERNARD. Portefeuille ?

Fernand fait signe que non et continue en exagérant le malaise qu'il feint. Il ouvre la bouche.

JEANINE. Chanteur ?

GEORGES. Vendeur de chars ?

Fernand fait signe que non.

LUCE. Douleur ?

Fernand fait le signe « à peu près » et continue.

GEORGES. Crise ?

Fernand fait signe que oui et indique le chiffre deux.

LAURETTE. Deuxième mot.

BERNARD. Crise du pétrole ? *(Fernand fait signe que non et devient mal. Il semble étourdi.)* Crise du Moyen-Orient ?

Fernand fait signe que non. Il se prend le ventre. Il a vraiment mal.

JEANINE. Crise du ventre.

Fernand commence à râler un peu. Il commence à faire une crise cardiaque pour de vrai.

LUCE. Crise de foie ?

LAURETTE. Crise de nerfs ?

Fernand est plié. Il râle et se prend le cœur à deux mains comme auparavant pour le premier mot.

FERNAND. Ayoye donc...

JEANINE. T'as pas le droit de parler...

BERNARD. Crise cardiaque ?

GEORGES. Attends un ti-peu, là... ç'a quasiment l'air d'une crise mondiale, ton affaire...

FERNAND, *en tombant à terre.* Ahh !...

LUCE. Fernand ? Fernand ?

GEORGES. Tabarnouche, c'est toute une crise... ça, monsieur.

BERNARD. T'es ben sûr c'est pas crise cardiaque ?

GEORGES. Ben non, on l'a dit, ça...

FERNAND. Ahahh !...

LUCE, *à moitié levée et inquiète*. Fernand ? *(Aux autres :)* Arrêtez donc, pour voir.

Fernand se plaint de plus en plus.

FERNAND. Hey !...

BERNARD. Faudrait ben qu'on le trouve avant qu'y meure...

LUCE. Fernand ? Dis quèque chose...

FERNAND. Ahh... Ça fait mal !... Ahh...

LUCE. C'est pus drôle, là... S'il vous plaît, Fernand...

JEANINE. Bernard, j'pense qu'y est pas bien...

Luce se lève. Les autres changent d'air.

LUCE. Fernand ? Niaise pas, là ! *(Fernand râle toujours.)* Faites quèque chose, c'est son cœur.

LAURETTE. Mon Dieu !

BERNARD, *se levant*. Eh ! torrieu... O.K... Pas de panique...

Les hommes s'approchent de Fernand qui se tord sous leurs yeux.

LUCE, *très paniquée*. Va-t'en pas, Fernand.

BERNARD. T'es-tu correct, Fernand ?

LUCE. Va-t'en pas...

GEORGES. Y s'en ira pas... Où c'est que tu veux qu'y aille ?

Son du Bug Reducer.

LAURETTE. C'est-tu son cœur, ça ?

JEANINE. Non, c'est un autre maringouin qui meurt.

LAURETTE. Ah bon !

LUCE. Meurs pas, Fernand ! M'entends-tu ?... Je te défends de mourir...

BERNARD. Comment tu veux qu'y meure ? Voyons donc ! Amenez de l'air là... Ôtez-vous...

LUCE. Fernand... Appelez une ambulance.

BERNARD. Ben oui... les nerfs, là !

GEORGES, *à Bernard.* Veux-tu que j'appelle avec toi ?

BERNARD. Non non, ça va. Tchèque-le pour pas qu'y meure. J'vas appeler la police... C'est quoi le numéro de 911 déjà ?

GEORGES. Demande à 411.

Bernard va au téléphone.

LUCE. Fernand ? Fernand ?

LAURETTE. Chus pas capable de regarder ça.

JEANINE, *pointant une revue.* Regarde une revue.

Laurette prend une revue.

LUCE. Fernand, fais pas ça...

GEORGES, *à Fernand.* Chus là, Fernand, fais-toi-z-en pas...

FERNAND. Ahh !... Ça fait mal...

GEORGES. Voyons donc... pense à d'autre chose, là.

FERNAND. Ayoye !...

BERNARD, *au téléphone.* Fernand ! Fernand !... Allô ? Êtes-vous dans la police ? Oui, bon... J'ai un ami qui est mort... qui meurt, pardon... Qu'est-cé qu'y arrive dans ce temps-là ? Oui, oui, y a l'air urgent... 42 Fontaine-bleau... r'gardez je vais aller au-devant, ça va aller plus vite... Bougez pas là...

Il raccroche et revient près de Fernand.

FERNAND. Ayoye, ayoye...

GEORGES. Ç'a pas d'allure, crier de même...

LAURETTE. Une chance que les fenêtres sont fermées.

BERNARD. On va aller à leur rencontre... O.K. Ça te tente-tu de faire un petit tour de char, mon Fernand ?

LUCE. D'un coup y meurt avant...

BERNARD. On va faire ça vite...

Fernand hurle toujours.

BERNARD, *à Georges.* Prends ton boutte. *(Il le tourne sur le tapis, Luce est sur le tapis, à côté de Fernand.)* Luce, Luce donne-nous une petite chance.

Ils relèvent Fernand et s'apprêtent à sortir. Fernand crie en se faisant relever.

GEORGES. Ça achève, là, Fernand... ça achève.

LUCE. D'un coup y meurt ?

GEORGES. Ben voyons, y a-tu l'air d'un gars qui va mourir ?

FERNAND. Ça fait mal.

GEORGES. Ça fait toujours ça...

Fernand s'accroche à une chaise de cuisine.

LUCE. Non, non, Fernand, pas la chaise.

Ils disparaissent avec Fernand qui lâche encore un cri. Jeanine replace le tapis et la table du salon.

LAURETTE, *à Jeanine.* Très bonne, la revue.

JEANINE. Merci.

LAURETTE. Tu penses-tu qu'y va mourir ?

JEANINE. Ça me surprendrait. D'après moi, c'est plutôt le genre à faire deux, trois crises avant de faire la bonne.

LAURETTE. Moi, j'trouve qu'avait l'air bonne, celle-là.

JEANINE. Ah ! a se défendait.

LAURETTE. Pauvre elle... j'te dis que ça doit pas être drôle d'être mariée avec quelqu'un quand y meurt... Dire qu'y était là, sur ton tapis.

JEANINE. Penses-y pas, y est pus là. *(Temps.)* Tu l'aimes-tu, mon tapis ?

LAURETTE. Ton tapis ? Y m'rend malade. Y a pas de remède contre le beau, hein ?

JEANINE, *en souriant faiblement.* Pas encore.

Elles rient un peu, nerveusement.

LAURETTE. Mais lui, eh... sa femme a dû m'prendre pour une vraie folle ? Était là que son mari mourait, pis je disais rien.

JEANINE. Tu te reprendras.

LAURETTE. Hum... moi en tout cas, tout ce que je souhaite, c'est que Georges soit veuf avant moi.

JEANINE. Ça c'est l'idéal, c'est sûr.

LAURETTE. Mais elle, eh... Si son mari s'éteint, qu'est-cé qu'a va faire ?

JEANINE. Dur, probablement. Qu'est-cé tu veux, a l'a aucun talent, pis encore moins de compétences.

LAURETTE. A pourrait peut-être être vendeuse. Y en cherchait une justement à la pharmacie aujourd'hui.

JEANINE. Ah bon, ça tombe bien.

LAURETTE. Ah oui, pis j'trouve qu'a l'a un air de vendeuse à part ça.

JEANINE. C'est vrai qu'a fait public. J'la verrais ben dins cosmétiques.

LAURETTE. Si on se fie à son visage, à l'air de connaître ça le maquillage.

JEANINE. Elle ? A pourrait faire la barbe à Lise Watier n'importe quand.

LAURETTE. Tu vois comme tout s'arrange finalement.

JEANINE. Le bon Dieu est pas fou dans l'fond. *(Georges et Bernard entrent dans le salon, exagérément calmes et sûrs d'eux.)* Pis ?

LAURETTE. Ouan ?

BERNARD. Une chose à la fois.

GEORGES. Pour dire franchement, les femmes, c'est aussi ben que vous soyez restées ici. C'était pas beau à voir. Pas vrai, Bernard ?

BERNARD. Y a pas d'erreur. On dira ce qu'on voudra. Une crise cardiaque, c'est pas comme un coucher de soleil.

GEORGES. C'est souvent moins le fun que ça n'a l'air.

JEANINE. Mais, y est pas mort ?

BERNARD. Non, mais, je l'aurais pas amené jouer au bowling... *(À Georges :)* Hein ?

GEORGES. Pas aux grosses en tout cas...

JEANINE. Vous avez fait ça vite ?

GEORGES. On a rencontré l'ambulance au coin de la rue... Ça fait qu'on leur a dompé.

LAURETTE. Pis Luce, elle ?

BERNARD. J'l'aurais pas laissé marquer les points, mettons...

GEORGES, *dramatique*. Non certain... c'est déjà assez compliqué les maususses de points au bowling... Quand t'as deux réserves en ligne pis que tu as une trouée après, quessé qu'y arrive, coudonc ?

BERNARD. Dix par carreaux plus la trouée. *(Reprenant le ton dramatique.)* Mais y a quand même quèque chose qui ressort de tout ça : c'est qu'on est peut-être pas grand-chose dans vie, mais c'est mieux que rien...

GEORGES. Oui monsieur ! Là tu viens de fesser dans le mille correct. On a beau toute avoir une montre, y n'a pas un qui a la même heure.

BERNARD. Absolument... Bon ben... on va attendre qu'y meure avant de s'en faire là... Ça vous tente-tu de jouer une petite partie de cartes ?

GEORGES. Êtes-vous en état, les femmes ?

JEANINE. Ah, moi, les cartes, j'peux pas leur dire non...

GEORGES. Ataboy.

BERNARD. Pis toi, Laurette, ça te tente-tu de manger une volée ?

LAURETTE, *sortant de la lune*. Ah oui, oui... n'importe quand...

Bernard se lève et va ouvrir la table à cartes. Il sort un paquet de cartes et commence à les brasser. Jeanine se lève également.

JEANINE. Filez-vous pour grignoter, vous autres ?

GEORGES. Dis-moi pas tu nous as préparé un petit lunch, toi ?

JEANINE. Laisse-moi tranquille, vous nous avez assez bien reçus la dernière fois, on était gênés de rentrer chez nous.

Jeanine part chercher les sandwiches.

GEORGES. Mais y avait l'air le pied pesant sur l'alcool, lui, non ?

BERNARD. Le pied ? Mets-en !... Y buvait plus que ton char... Pis pas du sans-plomb, j'te prie de me croire.

Jeanine arrive avec un plat de sandwiches recouvert d'un linge.

GEORGES. Hé monsieur, ç'a l'air bon...

Jeanine place son assiette sur la table à cartes et enlève le linge.

LAURETTE. C'est ben que trop, voyons.

JEANINE. Ben, c'est pour tout le monde.

GEORGES. Bon ben, m'as partir le bal.

Jeanine trouve que Georges prend beaucoup de sandwiches.

JEANINE. Ouan !... Les émotions, ça creuse l'appétit, hein ?...

BERNARD, *à Georges, farceur.* T'as l'air pas mal ému, toi là.

GEORGES, *enjoué.* Moi ? Mets-en... Faudrait pas que quel-qu'un d'autre s'étampe à terre... Je finirais le plat.

Ils rient.

LAURETTE. Y ont tellement de goût, tes œufs. Comment tu les piles ?

JEANINE. Assise... mais c'est pas les œufs qui comptent, c'est la mayonnaise.

BERNARD. On joue-tu aux cartes, là ?

GEORGES, *la bouche pleine.* Ç'a pas l'air.

Accident d'auto. Suzy entre par la porte arrière de la cuisine.

BERNARD. Ben voyons, qu'est-cé que c'est ça ?

Ils sortent.

SUZY, *riant.* Y a foncé dans haie ! Y a foncé dans haie !...

BERNARD. Hé ! torrieu de torrieu !

Junior entre, un peu éméché.

JUNIOR. Est pas large votre entrée de garage, hein ?

Bernard aperçoit sa haie avec la voiture enfoncée dedans, la clôture en bois de Georges est endommagée elle aussi.

BERNARD, *détruit.* Ma haie !... C'est pas ma haie, ça ?

Il sort. Georges le suit.

GEORGES. Mon char ! C'est pas mon char, ça ?

JUNIOR. Oui, oui, c'est lui.

Laurette et Jeanine se dirigent vers Junior. Suzy va dans sa chambre.

LAURETTE. Qu'est-cé t'as, Junior ? Es-tu endommagé ?

JUNIOR. Non, non, j'ai juste un choc nerveux...

BERNARD, *allant vers Junior.* Mais comment t'as fait ton compte, innocent ?

JEANINE. Bernard !

BERNARD. T'aurais pas pu foncer sur un poteau à place ?

JUNIOR. J'ai pas eu le temps.

LAURETTE. T'as pas l'air dans ton état. Avez-vous bu, coudonc ?

JUNIOR. Euh... Un peu, non.

GEORGES. Me semble que j't'en avais parlé, de la boisson.

JUNIOR. T'aurais dû m'en parler plus encore. J'peux ben reculer le char si vous voulez.

BERNARD, *haussant le ton, poussant Junior du doigt.* Hey !
Veux-tu que je te recule, moi ?

JEANINE. Bernard !

BERNARD, *à Junior.* Fends donc le gazon à coups de hache, tant qu'à y être... Le sais-tu qu'est-cé que c'est, c'te
haie-là ?

JUNIOR. Du cèdre ?

BERNARD. Non. Ça, c'te haie-là, mon p'tit gars, c'est ma
haie à moi. Je l'ai plantée avec les mains à moi ; je l'ai
mise au monde, je l'ai quasiment allaitée, comprends-
tu ? T'as-tu déjà allaité ça, une haie, toi ?

JUNIOR. Non.

BERNARD. Ça me surprend pas.

JEANINE. Bernard, j'ai dit... Bernard... on est avec du
monde, là !

BERNARD. T'appelles ça du monde, toi ? Moi, j'appelle
ça des tarlas. J'm'excuse de te dire ça, Georges, mais
ton gars, c't'un tarla.

GEORGES. Excuse-toi pas, j'comprends ça...

BERNARD, *vers Laurette.* Qu'est-cé qui vous a pris de
mettre un tarla de même au monde ?

LAURETTE. Aucune idée... excuse-nous !

JEANINE, *à Laurette.* Y dit ça parce qu'y est fâché.

LAURETTE. Ah bon !

BERNARD, *à Jeanine.* Pantoute... Non mais, tu comprends-
tu le principe ? T'aimerais-tu ça faire cuire un gâteau
pendant vingt ans pis que j'pile dessus avec mon char ?
Hein ? *(À Georges :)* Toi, t'aimerais-tu ça que je te passe
la permanente au blender ?

GEORGES. Non non, ça va aller. *(À Laurette :)* Bon, ben, j'pense qu'on va y aller nous autres.

BERNARD. Bonne idée.

JEANINE, *sans conviction.* Bernard !...Vous voulez pas rester encore un peu ?

LAURETTE. Ben sais-tu, j'sais pas c'qu'on pourrait faire de plus à soir ?

GEORGES. On reviendra demain plutôt...

BERNARD. Demain, on est fermés !

GEORGES. Superbe...

JUNIOR. Vous remercierez Suzy, pour Linda.

JEANINE. Rendez-vous bien, là...

LAURETTE. Vous autres aussi.

Ils sortent. Bernard et Jeanine sont seuls devant la haie...

BERNARD, *regardant sa haie, découragé.* Non mais, ça s'peut-tu ?... Ça s'peut-tu... En tout cas, j'pourrai dire que j'l'ai eu mon Viêt-Nam, moi...

JEANINE. Viens te coucher, tu y penseras demain...

BERNARD. J'pense j'vas aller m'pendre moi, là.

JEANINE. Parfait. Oublie pas d'éteindre les lumières avant... Bonne nuit.

Elle entre dans la maison. Bernard regarde sa haie, dépité...

BERNARD. La vie, je me demande à quoi ça sert des fois... vingt ans... vingt ans de sacrifice... vingt ans d'engrais, vingt ans d'arrosage... vingt ans de trimage... des soirées de temps à me faire piquer par les brûlots... des nuits à me gratter... tout ça pour ça !... Non mais qu'est-cé j'ai fait ? Qu'est-cé j'ai fait au bon Dieu, simonac ? Y a un char par dix millions d'années qui fonce dans une haie, fallait que ce soit dans mienne....

JEANINE. Bernard, Bernard... Les voisins, Bernard...

BERNARD. Je demande pas grand-chose au bon Dieu pourtant, je demande juste qu'y arrive rien... Y a pas moyen qu'y arrive rien dans vie, coudonc ?... Y a pas moyen qu'y arrive rien ? Non mais ça se peut-tu qu'y arrive rien...

Bruit du Bug Reducer.

TABLE

OUVRAGE RÉALISÉ PAR
LUC JACQUES, TYPOGRAPHE
ACHEVÉ D'IMPRIMER
EN MAI 2016
SUR LES PRESSES
DE MARQUIS IMPRIMEUR
POUR LE COMPTE DE
LEMÉAC ÉDITEUR, MONTRÉAL

DÉPÔT LÉGAL
1re ÉDITION: 2e TRIMESTRE 2002
(ÉD. 01/ IMP. 14)